BOBBY ANDSTRÖM

Malmö

– stad i världen

– a city in the world

– Stadt der Welt

Wahlström & Widstrand

Innehåll

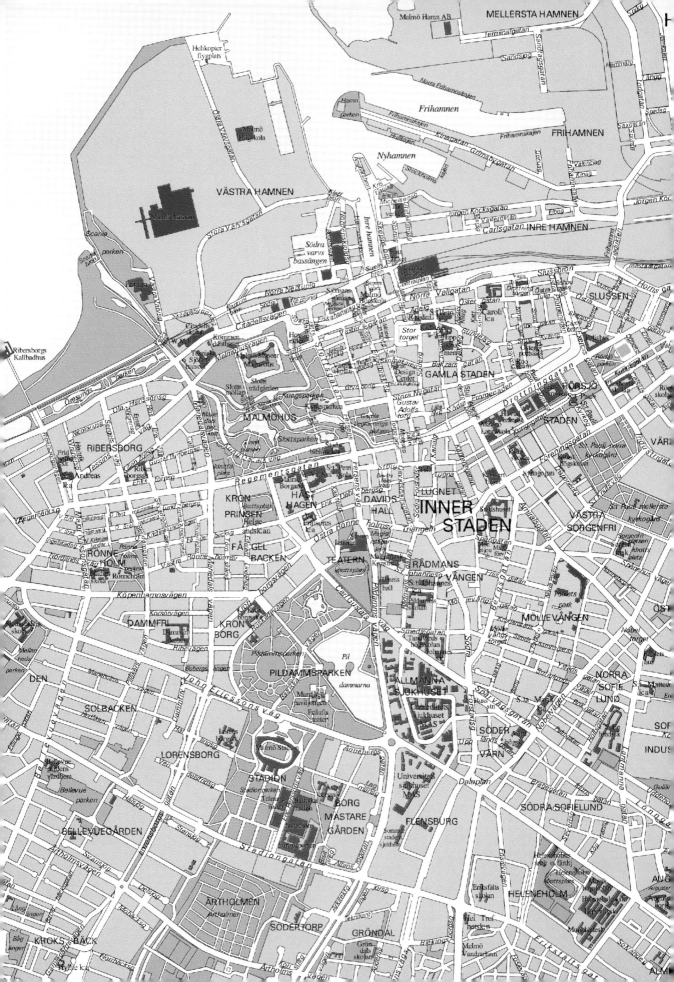

Kartan visar Malmös innerstad med parkområdet, kanalerna och hamnarna. Den mindre kartskissen visar Öresunds-förbindelsens sträckning mellan Sverige och Danmark och den planerade citytunneln som enligt planerna skall vara klar år 2005. Bilden ovan är tagen på Stortorget.

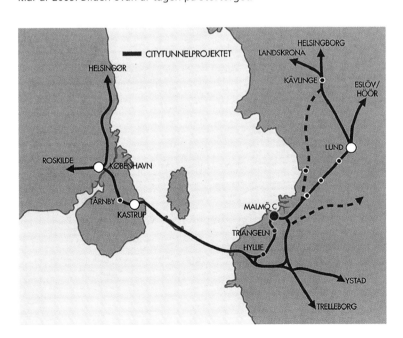

The map shows central Malmö with the park area, canals and harbours. The sketch-map shows the location of the Öresund link between Sweden and Denmark and the planned city tunnel, which is expected to be ready by 2005. The picture above was taken at Stortorget.

Der Stadtplan zeigt die Innenstadt mit dem Parkgebiet, die Kanäle und die Häfen. Die kleinere Planskizze zeigt den Verlauf der Öresundver-bindung zwischen Schweden und Dänemark, sowie den geplanten Citytunnel, der den Plänen nach im Jahr 2005 fertig sein soll. Das Bild oben ist auf dem Stortoget (Groß-markt) aufgenommen worden.

I Malmö har man vatten ända in till citykärnan. I inre hamnen är båttrafiken livlig mellan Malmö och Köpenhamn. Bilden under: Den kalkstenstyngda strandlinjen vid Lernacken. I fjärran skymtar Malmös silhuett.

Malmö – stad i världen

EN REKLAMKAMPANJ för några år sedan myntade ett uttryck som finns att läsa på vykort i Sveriges tredje stad. På kortet står: *Har du sett Malmö har du sett världen.* En reklamslogan värd att le åt men också att ta till sitt hjärta. Jag vill påstå att ju mer man vistas i Malmö, desto mer tycker man om denna stad. Att det nu finns en bro till utlandet sätter en extra guldkant på hela härligheten.

Skånes huvudort är onekligen en unik del av världen, en svensk värld stadd i stark förvandling. Någon gång i historiens gryning levde Malmöbornas förfäder på jordbruk och sillfiske. Sydvästra Skåne har inte varit ren vildmark på flera tusen år. Landskapet är en urgammal kulturprodukt, präglad av etthundrafemtio generationers slit och släp. Det var här Malmö blev till, en stadsbildning som skulle utvecklas till en av Sveriges förnämsta städer.

Namnet Malmö kommer troligen från ordet *Malmhauger* som betyder sandhögar, och sand finns det gott om, det ser man i dessa dagar när den moderna tidens dinosaurieliknande schaktmaskiner banar nya vägar för Öresundsbrons trafikanter. Det medeltida Malmö kallades *Ellenbogen* (armbågen) av tyska sjöfarare, troligen efter Lommabukens form. Om sanden skrev redan Carl von Linné:

> *Landet emot Malmö var mera sandigt och hade nästan ingen annan klappur än endast flintor, men något små. Havet, Dannemark och Köpenhamn sågos mest hela vägen åt väster ifrån Lund till Malmö.*

Linné noterade åtskilligt om Malmö på sin skånska resa 1749:

> *Malmö stapelstad ligger vid västra havskanten av Skåne slätt gent emot Köpenhamn, 4 mil över sundet och är en av de ansenligaste städer i riket; har stora hus, och breda gator. Torget är ett av de största i riket, 200 steg i längden och lika i bredden, på alla sidor planterat med höga trän av lind, hästkastanjer och valnöteträn. På torget är ock byggd en vattukonst gent emot Corps de Guardie. Hit ledes färskt vatten in i staden från Pildammen, 1/2 kvart söder om staden medelst rännor under jorden genom själva gravarna och ifrån vattukonsten ledes vattnet vidare igenom pipstockar till de mesta gårdar i staden.*

Här blomstrade ett rikt näringsliv baserat på tung industri och varvsrörelser. Det var här den svenska arbetarrörelsens vagga stod och socialdemokraterna regerade oavbrutet i 66 år. Här började också mången kontinentresa på charmiga

14

Under 1800-talet gjorde många Malmöbor turer till Köpenhamn med det ångdrivna fartyget *Caledonia*.

Many Malmöites took trips aboard S/S *Caledonia* in the 19th century to enjoy the pleasures of Copenhagen.

Mit der dampfgetriebenen Fähre *Caledonia* machten viele Malmöer Fahrten zum Vergnügen in Kopenhagen.

fartyg och färjor. Den första ångbåten som band ihop Sverige med Danmark hette *Caledonia* och gjorde sin premiärtur 1829. Om denna förbindelse mellan länderna talade skalden Esaias Tegnér när han lagerkransade sin danske kollega Adam Oehlenschläger: "Söndringens tid är förbi och hon borde ej funnits i andens fria, oändliga värld ..."

*

Kanske gjorde man vid den här tiden bara en tur med stor båt från Skeppsbron i Malmö till Havnegade i Köpenhamn, det närmaste utland som stod till buds för den reslystne. Säkert minns ännu många äldre Malmöbor matsedeln på turen – fläskkotlett eller wienerschnitzel. Bättre upp blev det på de flytetyg som ersatte de gamla stora båtarna. På *Örnen* som gjorde sin sista tur i slutet av november 1980 serverades *rödspätta à la Öresund* med gräddstuvade champinjoner stekt i smör eller *kalvfilet Oscar*, det vill säga filé med räkor, sparris, bearnaisesås och pommes frites. Till detta dracks en sval pilsner och tillbehör i immigt glas. Behöver det sägas att det smakade himmelskt gott i den marina miljön?

När linjen avsomnade blev det turer från Smörkontrollen

längst ute i hamnen till Tuborgs bryggeri, 13 kilometer norr om den danska huvudstaden. Efter många olika sjötransportlösningar kom flygbåtseran som enligt den kände kirurgen Knut Haeger i Lund "endast har förmågan att skaka ner njurarna i lilla bäckenet". Färjelinjen Limhamn–Dragör har också varit förbindelselänk i området tills linjen lades ner hösten 1999.

Många förknippar Malmö med Kvarteret Korpen, så som det skildrades i författaren och regissören Bo Widerbergs berömda film med samma titel. TV-publiken lät sig även under några år matas med Malmöbilder presenterade av den väldige Lasse Holmqvist. Andra av äldre kaliber tänker sig kanske tillbaka till Edvard Persson, den trinde och trygge skådespelaren som förgyllde många bioaftnar från Skåne i söder till Lappland i norr och ännu lever kvar i tv:s eftermiddagsfilmer. I Malmö stod han på en revyscen och sjöng om slott och

herresäten och Skåneliv i den bästa av världar.

Men hur blev det sedan, hur är det i dag? Borta är Wider-
berg och Persson, Holmqvist och andra, in har flyttat en et-
nisk mångfald som ställer Babels torn i blek skugga. Fritjof
Nilsson Piraten sitter inte längre på sin favoritkrog, njuter
gommens fröjder och berättar sina skrönor, musikgeniet Sten
Broman sveper ej heller in i färgglada kostymer för en stunds
kulinarisk vederkvickelse.

Vi lever något yrvakna i ett nytt årtusende och Malmö har
blivit brohuvud i den nya Öresundsregion som ger Sydsveri-
ge allt större tyngd. Professor Jan Annerstedt vid Handels-
högskolan i Köpenhamn har påstått att regionen kan bli ett
nytt Singapore för Nordeuropa. Regionen är lika stor och har
goda möjligheter att utvecklas till ett centrum för länder som
Polen och Tyskland. Nu famnar en ny mångmiljonmarknad
om Malmö–Lund med omgivningar och tar sig via Öresunds-

17

bron till Köpenhamn med vida förgreningar till Danmarks övriga städer. Jylland och det europeiska fastlandet når man nu snabbt med bron över Stora Bält om man inte föredrar färjerutterna söderut mot tyska hamnar.

Det lär för övrigt inte dröja alltför många år innan det byggs broar mellan tyskt och danskt land med den teknik och erfarenhet som står till buds. Allt är en fråga om pengar och hur stort intresse man har i Tyskland av färder norrut. En Fehmarn Belt-bro bejakas sedan länge av en politisk majoritet i Schleswig-Holstein, och staden Hamburg applåderar nya förbindelselänkar och slår på trumman för sin hamn och sina världsvida kontakter. Danmark har gett en avsiktsförklaring att verka för en fast förbindelse över Fehmarn Belt. Malmöpolitikern Ilmar Reepalu talade nyligen om att starta en mental process för att understryka fördelarna med en fast förbindelse till kontinenten. Färska marknadsundersökningar i Tyskland visar att det finns ett stort intresse för resor till Sverige och Skandinavien. Tittar man närmare på tyskarnas Sverigedröm så sträcker den sig till Skåne och i någon mån till Småland. En liten procent önskar resa till Lapplands midnattssol och trakter där man kan köpa renhorn och andra exotiska produkter. Ryktet om den svenska allemansrätten är vida spritt på kontinenten och ingår i vårt batteri av attraktioner.

Långpendlarna har gyllene dagar om man bortser från smärre komplikationer. Det råder vissa skillnader i lagstiftningen som ibland är till fördel, ibland till nackdel. Men arbetsgrupper har tillsatts för att göra livet lättare för pendlarna. Från statsmakternas sida har man lovat att undanröja vardagliga hinder för de tvåtusen personer som dagligen pendlar över Sundet. Undersökningar visar att Skånes byggboom lockar danskar till den svenska sidan. Samtidigt som Köpenhamnsbor får allt svårare att hitta bostäder till rimliga priser, bygger Köpenhamns nya "skånska förorter" som aldrig förr. Det som framför allt drar är de betydligt lägre

Mycket snabbt blev "broen" och området där omkring ett av Malmös och Skånes mest attraktiva turist- och promenadmål.

"Broen" (the bridge) and the surrounding region quickly became one of Malmö's and Scania's chief attractions among tourists and walkers.

Sehr schnell wurde " broen" (die Brücke) und ihre Umgebung zu einem von Malmös und Schonens (Skåne) beliebtesten Touristen- und Spaziergangszielen.

svenska bostadspriserna. Någon har räknat ut att ett danskt akademikerpar kan halvera sina boendekostnader om de flyttar till Malmö. De tio svenska kommuner som ligger närmast Öresundsbron bygger sammanräknat mest i landet och ger ett utbud av bostäder som prismässigt glittrar i danska bostadssökandes ögon. Trafiken över bron kommer med andra ord att bli livlig i båda riktningarna med olika attraktioner på ömse sidor som dragplåster.

Självklart är det upplagt för kulturkrockar av skiftande slag. Ta bara språket, skånsk svenska och danska är helt visst två skilda tungomål. Det visade sig om inte annat när man arbetade med säkerhetsfrågor inför broöppnandet. Först skulle svenskar och danskar tala engelska (!) med varandra

Malmö är Sveriges hetaste byggregion och staden expanderar i snart sagt alla riktningar. Här är det Ön vid Limhamn som bjuder sina boende på mäktiga havsvyer. Till höger: Ett historiskt ögonblick hösten 1999 när det sista broelementet lyftes på plats i närvaro av Danmarks kronprins Frederik och Sveriges kronprinsessa Victoria. Här förenades två länder efter många års drömmar och planerande.

för att öka tågsäkerheten. Senare kom man på att det nog skulle klara sig om man talade tydligt på respektive språk. Den som talade måste använda ett långsamt, tydligt och skriftspråksnära uttal, sades det i direktiven. Alltför kraftigt dialektalt uttal måste undvikas. Kanske kan denna rekommendation leda till ett nytt sammansmält språk inom några årtionden. Då skulle den historiska cirkeln vara sluten. Malmöbor och övriga skåningar kan förstå en dansk som säger *halvfjerds* eller *halvfems* och andra trevliga räkneord. Skånska intressegrupper och andra intresserade har länge tryckt på för att göra danska till ett obligatoriskt ämne i skolorna. Även i Danmark höjs röster i detta sammanhang. Danska

More building work is in progress in the Malmö region than anywhere else in Sweden and the city is growing in practically every direction. This is Ön at Limhamn, whose residents enjoy spectacular sea views. Right: A historic moment in the autumn of 1999 when the last segment of the bridge was lowered into place in the presence of Crown Prince Frederik of Denmark and Crown Princess Victoria of Sweden. The two countries were now joined after many years' dreaming and planning.

Malmö ist Schwedens größte Bauregion und die Stadt breitet sich in fast alle Richtungen aus. Hier ist es Ön (die Insel) in Limhamn, die ihren Bewohnern einen großartigen Seeblick bietet. Rechts: der historische Augenblick im Herbst 1999 (14. Aug.), als die letzte Brückensektion in Anwesenheit des dänischen Kronprinzen Frederik und der schwedischen Kronprinzessin Viktoria an ihren Platz gehoben wurde. Hier werden zwei Länder nach jahrelangen Träumen und langer Planung miteinander vereint.

Handelskammaren uppmanar regeringen att öka svenskundervisningen.

"Språket spelar en avgörande roll i den framtida dansksvenska handeln", säger kommunikationsdirektör Ebbe Jensen. Han anser att det inte är nog att förstå svenska till nittio procent. De sista tio procenten kan vara just de som kan resultera i missförstånd. Vi har helt enkelt inte råd med kulturella hinder. För det vi skapar nu – Öresundsregionen – det skall definitivt bli en succé.

21

Mångkulturell stad

EFTER FOLKHEMSÅRENS blomstring då allt tycktes gå på räls kom en svepande kall dimma in över Malmö och omgivningar. Arbetslösheten blev efter de goda åren ett grinande spöke. Den trygga folkhemsmodellen var inte längre en självklarhet. I Rosengård och andra invandrartäta förortsområden talas ett hundratal språk och arbetslösheten är förskräckande hög. Brottsligheten visar tyvärr alltför höga siffror. Den privata tryggheten får många törnar.

På Möllevångstorget går det tydligen lättare att umgås över etniska gränser. Bland stånden frodas ett internationellt matliv som saknar svenskt motstycke. Här besannas verkligen påståendet att *har man sett Malmö har man sett världen*, möjligen på ett litet annorlunda sätt än vad som tänktes när

Malmö har stor invandring och det mångkulturella inslaget ger Skåneregionens huvudort liv och färg. Det kan upplevas runt om i staden men kanske intensivast på Möllevångstorget med livlig handel i grönsaker och andra delikatesser från alla världens länder. Statyn på den övre bilden är Axel Ebbes "Arbetets ära".

Malmö has many immigrants and the multi-cultural element adds life and colour to the Scanian capital. This can be seen everywhere in the city, but is perhaps most noticeable at Möllevång Market with its bustling trade in vegetables and delicacies from all parts of the world. The statue in the upper picture is called "In Honour of Work" and is by Axel Ebbe.

Malmö hat eine hohe Immigrationsrate und die vielen kulturellen Nuancen verleihen dem Hauptort der Region Schonen Leben und Farbe. Das kann man überall in der Stadt erleben, am intensivsten vielleicht jedoch am Möllevångstorget, wo der Handel mit Gemüse und anderen Delikatessen aus allen Ländern blüht. Das Denkmal von Axel Ebbe auf dem oberen Bild heißt „Ehre der Arbeit".

orden präntades på det berömda vykortet. Här finns allsköns grönsaker, hela torget är som en doftsymfoni där kunderna vandrar runt bland stånden och väljer bland allt det nyttiga och sköna som bjuds ut. Särskilt färgstarkt blir livet på torget i slutet av veckan när den stora skaran av Malmöboende invandrare gör sina uppköp. Det går ett lämmeltåg av människor från de stora hyreshusen i Rosengård och andra närliggande stadsdelar som vet att uppskatta varorna på torget. Kommersen är minst sagt livlig, och det blir en aning osvenskt när det prutas på priserna. Detta är kanske vad som skiljer dagens kommers på Möllevångstorget från den torghandel som bedrevs här tidigare när bönderna från omgivande landsbygd kom till stan ett par gånger i veckan med lass av jordens färska frukter.

Malmö har nu likt Fågel Fenix rest sig ur om inte askan så väl den passivitet som rådde efter champagneekonomiärens kraschlandning och lågkonjunktur. Inte långt från den plats i hamnen där den väldiga Kockumskranen reser sig mot skyn, har Malmö högskola dragit in. Koncentrerat på ett område

Malmö utvecklas nu i rasande takt till högskolestad med 15 000 studerande. Den nya högskolan har mycket tilltalande lokaler runt om i Västra hamnområdet.

Malmö is now rapidly developing into a university city with facilities for 15 000 students. The new university has some very attractive buildings in various parts of the West Harbour district.

Malmö entwickelt sich jetzt in rasender Fahrt zu einer Hochschulstadt mit 15000 Studenten. Die neue Hochschule hat sehr attraktive Unterrichtsräume rund um die westliche Hafengegend.

24

vid och på universitetsholmen finns bibliotek, institutionerna för konst, kultur och kommunikation, Gäddan 7 och 8 som är större undervisningslokaler, kafé, kårkontor och administration. Vid Kranen finns institutionerna för teknik och samhälle. Tornhuset rymmer administration. Kårhuset är förlagt till Kungsparken. Med blommande studentkollektiv sker en positiv förvandling till ett kunskapssamhälle.

På sandmarkerna vid havet, i sydvästra delen av Västra hamnen, byggs Malmös och Sveriges modernaste bostadsområde och den europeiska bomässan Bo01 skall äntligen skänka ordning och reda åt det ödsliga området. Från maj till september 2001 räknar man med att mer än en miljon människor skall besöka utställningen. Malmö stad har satsat 485 miljoner kr för att skapa hamn, vägar, ledningar och annat som behövs för att bereda marken och området för den byggboom som kommer. Ett antal byggföretag har bestämt sig för att bygga 522 lägenheter i området och fler står på tur. Det finns plats för ytterligare ett halvt tusental lägenheter. Visst var det tänkt att Saabs stolta bilfabrik som drog in på områ-

Vårmånadernas och försommarens blomning i Malmös villakvarter bjuder på fägring för ögat.

The blossoming flowers and trees of Malmö's villa districts in spring and early summer are a delight to see.

Der Frühling mit seiner Blütenpracht, in einer Siedlung, an der sich das Auge erfreut.

det för några år sedan skulle husera här i all framtid, men tiden och konjunkturen ville något annat. Av en nedlagd bilfabrik blev i stället en mässa med många positiva förtecken.

Så Malmö är inte bara "broen" som man säger på lokalt tungomål. Här finns ett liv och en verklighet som visar stor generositet på många plan. Småstadsliv skulle man måhända kunna kalla det, småstadsliv i storstadsmiljö. Våren är en idyll när det blommar i Gullviksborg och Bellevue, Kroksbäck och Lindeborg. I gullregnets tid och syrenernas månad är det en fröjd att cykla längs Limhamnsvägen ut mot Ribersborgsbadet när solglittret från Öresund kastar sitt guld mot fönstren i höghus och praktvillor.

Malmö är kort sagt mycket mer än vad tillfällighetsbesökaren anar. Stannar man till en stund och går från Stortorget via Gustav Adolfs torg till Triangeln träffar man på ett myller av liv och dofter och här och där små såväl som stora krogar och ställen med förledande utbud.

"I Malmö är det mycket mer lefvande än i de öfriga skånska städerna, och utom des har Malmö mycken air af en ut-

Få städer i världen kan stoltsera med så fina friluftsområden och badstränder som Malmo. På cykelavstånd från city ligger Ribersborg med kallbadhus och ljumma böljor.

Few cities can offer recreational areas and bathing beaches to equal those of Malmö. The warm waves and the Bath House at Ribersborg are only a cycle ride from the city.

Nur wenige Städte der Welt können auf so schöne Freizeitgebiete und Badestrände stolz sein, wie Malmö. Auf Radelabstand vom Zentrum liegt Ribersborg mit Badeanstalt und lauen Wogen

ländsk stad", skrev Carl Christofer Gjörwell ett år efter Carl von Linnés besök. Det stämmer minsann än i det nya årtusendets första år!

Malmö är en stad att ta till sitt hjärta. Skulle kärleken inte komma som en blixt, vågar jag lova att den spirar bara man ger den rimlig tid. Malmöborna är trivsamma när man kommer dem in på livet, de ger och tar med gott humör men låter sig inte imponeras i första taget. Visst kan det anas ett lätt stänk av misstänksamhet mot den som inte talar med skånsk tunga. Men den går över. Sammantaget skall sägas att Malmö är en vänlig stad, här har man tid att skynda långsamt utan att för den skull tappa greppet om tillvaron. Även om man inte säger det rakt ut, gläder man sig åt att omvärldens blickar nu riktas på staden och regionen och att det fjärran Stockholm måhända inte längre har lika många plymer i hatten som tidigare. Och – för att citera Köpenhamnstidningen *Berlingske Tidende* i augusti 1999: "Asien börjar inte i Malmö – där börjar däremot något av ett äventyr." Kan det sägas bättre?

En titt på Malmös historia

O M MAN FRÅN sitt lugna hörn på Österlen begrundar Skånes och Malmös historia blir man lätt förskräckt. Här har härjats och plundrats, mördats och bränts i en omfattning som för tankarna till dagens Balkan. Danskarna har anfallit, svenskarna svarat med samma mynt. Danskarna har hämnats, svenskarna slagit tillbaka. Härar har marscherat kors och tvärs, skjutit och bränt, belägrat och våldtagit, spetsat på pålar och varit allmänt omänskliga. Stundom har man använt den brända jordens taktik, tagit gisslan och hängt bönder och andra som inte hörsammat utdelade order. Man kan konstatera att Skåne under århundradena lidit svårt av krig. Som alltid när det kommer till krigshandlingar har de små människorna farit illa, fruktansvärt illa.

På platsen för det som vi idag känner som Malmö har det i historisk tid funnits två Malmö – Övre och Nedre Malmö. Övre Malmö var en kyrkby som omnämns första gången på 1100-talet och lär ha existerat åtminstone fram till 1400-talet. Nedre Malmö, ur vilken dagens förnämliga stad utvecklats, uppkom på 1200-talet. I *Necrologium Lundense* nämns Malmö för första gången i skrift. Året var 1170. Vid denna tid blomstrade Skanörhalvön. Sillfisket stod på sin höjdpunkt men gled under senmedeltiden över till Malmö. Det har beräknats att mer än 30 000 människor var direkt och indirekt engagerade i det givande fisket. I en samtida krönika kan man läsa att "ibland händer det att hela Sundet till den grad brukar fyllas med sillstim att de pressade fartygen knappt

med årornas hjälp kan föras fram, och fisken fångas utan red-
skap. Man tar den med blotta händerna".

Havets silverglittrande gåvor lockade köpmän och folk
från när och fjärran att komma till Skånemarknaden som
hölls varje år mellan 24 augusti och 9 oktober. Det var ett
makalöst spektakel som drog 80 000 människor till handel
och festligheter och som ställer dagens skånska marknader i
blek skugga. Just till Skånemarknaden hämtades förlustelser
och gycklare från fjärran orter. År 1267 lade ett fartyg ut från
Rostock med 40 glädjeflickor ombord med Skånemarknaden
som destination. Det bar sig inte bättre än att fartyget förlis-
te och de glättiga damerna försvann i djupet. Kyrkans män
tog tragedin som bönesvar och menade att det var Gud som
tagit hämnd på dem som anstiftat synden. Vad som sades
bland besvikna kunder på marknaden förtäljer inte historien.
Kanhända fick man trösta sig med lokala förmågor och ännu
ett stop fradgande öl.

1275 nämns Malmö för första gången som stad i ett pri-
vilegiebrev. Det var biskopen Peder i Roskilde som gav sina
undersåtar tullfrihet vid färder till Malmö. Borgare från Mal-
mö fick samma rättigheter när de seglade på Köpenhamn. Nu
hände stora saker, S:t Petri kyrka började byggas år 1300, ett
prakttempel med tysk förebild. Arton år senare slogs svens-
karna på den skånske biskopens sida, plundrade och brände.
Malmö, Lund och Skanör köpte sig fria med stora summor
pengar. Ett år tidigare hade Kristoffer II återkommit till Dan-
mark och det första tyska handelssällskapet i Danmark bil-
dades i Malmö. 1332 hyllades Magnus Eriksson som kung
av Skåne på S:t Libers hög efter att först ha köpt Skåne och
Blekinge av holsteinska pantinnehavare för 34 000 mark sil-
ver, en summa som i dagens penningvärde motsvarar åtskil-
liga sköna miljoner.

Inte bara krig härjade Skåne. 1349 slog digerdöden till och
skördade stora skaror. Många samhällen tömdes nästan på
innevånare. 1360 utfärdade Valdemar privilegiebrev för

Malmös stolthet – S:t Petri
kyrka – i tegelstensgotik, bygg-
des i början av 1300-talet och
har en praktfull predikstol och
altaruppsats.

St. Petri Church – the pride of Malmö – in Gothic style was built in the early 14th century and has an imposing pulpit and retable.

Der stolz Malmös, die Kirche Sankt Peter (eine Kopie der Marienkirche in Lübeck) wurde im 14.Jh. im gotischen Stil erbaut. Sie hat eine prächtige Kanzel und eine gleichschöne Altartafel.

skånska städer, däribland Malmö. 1390 slog de så kallade vitalianerna till mot Malmö och Helsingborg. De var sjörövare av värsta sort och plundrade välfyllda skepp som kom in i Öresund. När det inte fanns skepp att tömma gick rövarna iland och tog allt vad man kunde ta och orkade bära.

År 1406 kan man konstatera att kulturen kommer till Malmö. Då gav påven Innocentius VII Malmös innevånare rätt att inrätta en skola. Den blir senare känd som Malmö latinskola. Kung Erik gav 1429 Malmö borgmästare rätt att bära guldkedja. Men nya orostider stundar och 1434 manar kung Erik befolkningen i Malmö att uppföra försvarsverk

och murar runt staden. Nu läggs grundstenen till den äldsta versionen av Malmöhus slott.

1437 gav Erik av Pommern Malmö ett nytt vapen – "ett rött griphuvud med röd hals och röde öron och oven på huvudit med en busk strutsfjädre mitt å kronen, vit och röd". Det lär för övrigt vara det nu äldsta bevarade stadsvapnet som fortfarande är i bruk. 1445 blev Köpenhamn huvudstad i Danmark och två år senare fick Malmö sitt andra privilegium av kung Kristoffer. Det första av Kristoffer kungjordes 1440.

1452 härjade svenskarna under Karl Knutsson Bondes ledning i Skåne och Halland. Vä och Lund brändes, men Malmö försvarades tappert. I ett stort privilegiebrev utfär-

Bakom de tjocka murarna i Malmöhus slott har många historiskt viktiga och dramatiska händelser utspelats under århundradenas lopp. Nu finns här ett av landets finaste museer med unika samlingar.

Many historically significant and dramatic events have been played out behind the thick walls of Malmöhus Palace over the centuries. It now houses the unique collections of one of Sweden's finest museums.

Hinter den dicken Mauern des Schlosses Malmöhus haben sich viele dramatische und geschichtlich wichtige Ereignisse im Laufe der Jahrhunderte abgespielt. Nun beherbergt es eines der schönsten Museen des Landes, mit einzigartigen Sammlungen.

dades stadsrätt för Malmö. 1479 grundades Köpenhamns universitet, ett datum att minnas nu när forskning och utbildning flätas samman i regionen. Tio år senare invigdes ett franciskankloster i staden. 1493 gav kung Hans borgarna i Malmö tillstånd att segla ut och köpslå med främmande handelsfartyg i Öresund.

Femtonhundratalet fylldes av konflikter. När kung Hans dog kom Kristian II in på scenen. När han avsattes och flydde till Nederländerna bröt inbördeskrig ut. Malmö och Köpenhamn tog hans parti men fick till slut kapitulera och 1523 besteg Fredrik I Danmarks tron. Det gav städerna goda villkor trots att de tidigare hade tagit den gamle kungens parti. Ny era med nya maktstrider, nu flammade den s k grevefejden upp. Kristian III som var lutheran tågade in i ett härjat Köpenhamn och fängslade alla katolska biskopar. Reformationen infördes i Danmark 1536.

1500 var Malmö Danmarks näst största stad. Sex år senare blossade nytt krig upp mellan Danmark och Sverige. Ett resultatlöst fredsmöte hölls i Malmö. Kung Hans förbjöd borgarna i Malmö och Lund att besöka varandras torg. Den 23 april 1512 slöts fred mellan Sverige och Danmark i Malmö. 1518 utsågs den kraftfulle Jörgen Kock till kunglig myntmästare i Malmö där man slog mynt till hela Danmark. Kock var westfalare, född i slutet av 1480-talet och gift med en rik klädhandlaränka. Kock var inflytelserik och låg bra till hos Kristian II (han som kallades Tyrann i Stockholm och den Milde i höjd i Danmark). Efter tiden som myntmästare blev Kock borgmästare, den mest lysande som staden någonsin haft. Under hans tid och ledning byggdes Stortorget. Han var en slipad person som visste att kryssa mellan olika maktblock och kunde konsten att bjuda på ståt – när Kock begav sig ut på stan var han allt annat än ensam och diskret. Ett helt följe traskade med: en man bar hans heraldiska svärd, två män förde bardisaner och en bar på en hakebössa. Självklart retade prakten en hel del av borgarna, men klandret tystnade

säkert när Kock 1546 gjorde en stor donation till stadens
skolbarn och fattiga, den största i Malmös historia. Gåvan
och ytterligare påspädningar av den stenrike donatorn var så
stora att de med räntor räckte en bra bit in på 1800-talet.

1523 gjorde adeln uppror mot Kristian. Den skånska
adeln kunde med hjälp av svenska soldater lägga hela Dan-
mark under sig. Bara Köpenhamn och Malmö klarade sig. I
Sverige valdes Gustav Vasa till kung. 1524 öppnade Malmö
portarna för Fredriks folk. Kungamötet i ett Malmökloster
tvingade svenskarna att utrymma Gotland och Blekinge.
Malmö recess undertecknades. Den ridderlige Sören Norby,
länsman på Gotland, gjorde ett desperat försök att återinsät-
ta Kristian II på tronen. Malmöhus län upprättades 1526.
Jörgen Kock flyttade från Malmöhus till hus vid Stortorget.
Detta var också ett stort sillår – 7 500 båtar skördade havets
gåvor. I ett förfallet kapell vid Pildammarna i Malmö predi-

Jörgen Kocks hus är ett av Malmös vackraste historiska hus. I källarvåningen finns en av stadens finaste krogar med härlig atmosfär och spännande matsedel.

Jörgen Kock's house is among Malmö's most beautiful historical buildings. One of the city's finest restaurants, with a wonderful atmosphere and an exciting menu, is housed in the basement.

Jörgen Kocks Haus ist eines der schönsten historischen Gebäude Malmös. Im Keller befindet sich eines der feinsten Restaurants mit herrlicher Atmosphäre und auserlesener Speisekarte.

kade den unge teologen Claus Mortensen och Hans Spandemager Martin Luthers läror. Det uppstod vad man med modernt språkbruk skulle kalla en väckelse. Mortensen blev sedan Malmös förste protestantiske kyrkoherde. I Malmö trycktes en ny gudstjänstordning och lutheranerna övertog en rad kyrkor. Präster och munkar fördrevs med hugg och slag.

1533 dog Fredrik I och Kristian III blev kung. Året därpå utbröt ett religiöst färgat uppror mellan biskopen i Lund och borgarna i Malmö. Borgarna stormade Malmöhus och kommendanten fängslades. Fartyg från Lübeck blockerade farvattnen mellan Skåne och Själland. Malmö och Köpenhamn föll i lybska händer. 1536 kapitulerade Malmö. Jörgen Kock klarade livet men avsattes som myntmästare och Malmö upphörde som myntort. Grevefejden tog slut. Ett nytt Malmöhus började byggas och det stod klart 1542. Fyra år se-

nare uppfördes ett nytt rådhus sedan det gamla rivits.

Nordiska sjuårskriget bröt ut 1563. Danskarna anföll och erövrade Älvsborg. 1599 drabbades området av den fruktade pesten. I Köpenhamn dog bortåt 16 000 människor, många också i Malmö, bland andra alla lärare på latinskolan och flertalet elever.

År 1600 hade Malmö 5 000 innevånare. 1613 slöts fred mellan Sverige och Danmark i Knäred, och Sverige tillförsäkrades tullfrihet i Öresund. När borgarna i Malmö klagade på att Trelleborg konkurrerade, upphävde kungen Trelleborgs stadsprivilegier. Kristian IV tyckte inte om svenskarnas tullfrihet i Öresund och vips försvann den förmånen.

Privilegierna skulle dock komma tillbaka. Det skedde 1644. Jylland ockuperades av svenskarna. Gustaf Horn anföll med 11 000 man och erövrade Lund, Landskrona och Helsingborg. Bara Kristianstad och Malmö höll stånd. Vid

Den 26 februari 1658 blev Malmö svenskt genom freden i Roskilde. I mars gjorde Karl X Gustav sitt intåg i staden och på ett kopparstick efter Erik Dahlbergs teckning ses hären komma tågande på isen utanför stadsmuren. Många Malmöbor var med för att beskåda den händelsen. Illustrationen trycktes 1696 i "De rebus a Carolo Gustavo gestis".

Malmö was declared part of Sweden 26 February 1658 under the terms of the Peace of Roskilde. King Karl X Gustav entered the city in March, and in an engraving based on a drawing by Erik Dahlberg the army can be seen marching across the ice outside the city wall. This historic occasion was witnessed by many Malmöites. The illustration was printed 1696 in "De rebus a Carolo Gustavo gestis".

ett sjöslag mellan danska och svenska flottor miste kungen sitt ena öga men stod troget på sin post ombord på kungaskeppet. För att i någon mån lindra skadorna efter kriget befriades borgarna i Malmö i tio år från skatt, tull och accis.

En slump gjorde att Gustaf Horn 1645 klarade sig undan en stor dansk här som anföll. Svenskarna krossade danska flottan och så kom freden i Brömsebro den 13 augusti. Nu var tullfriheten tillbaka i Öresund och Sverige blev ledande nordisk nation.

1658 skedde så den berömda marschen över isen på Lilla och Stora Bält. Det blev fred i Roskilde och Fredrik III bjöd sin överman Karl X Gustav till brakfest på Frederiksborgs slott – bland annat festade man upp åtta tusen flaskor vin! I mars gjorde Karl sitt intåg i Malmö under klang och jubel. Trots det stora kalaset anföll Karl X Gustav Danmark utan krigsförklaring, i akt och mening att rycka åt sig hela landet.

Borgare i Malmö arbetade ivrigt för att danska trupper skulle inta Malmö, den s k Malmösammansvärjningen. Deltagarna i sammansvärjningen förråddes senare och greps – fyra dömdes till döden. Fred mellan Sverige och Danmark slöts 1660.

Den 4 december 1676 vann Karl XI vid Lund knappt över danskarna i ett av de blodigaste slagen i Europas historia. På slagfältet framför staden samlade svenskarna upp 8 993 stupade, danskar och svenskar i en ohygglig blandning. Samma år belägrades Malmö två gånger av danskarna. Snapphanar stal hela den svenska krigskassan på 50 000 riksdaler.

1677 belägrade danskarna åter en gång Malmö och den 25 juni försökte man storma staden. Samma år befallde Karl XI att all adel skulle tvångsförflyttas till gamla Sverige. De som flydde till Köpenhamn dömdes till döden.

1678 kastades svenska armén ut ur Pommern och 4 000 soldater med familjer skeppades hem till Sverige. 1 500 människor drunknade när fartygen förliste i en storm utanför Bornholm. Den för landsförräderi dömde skånske adelsmannen Jörgen Krabbe arkebuserades på Stortorget i Malmö. 1679 slöts fred i Lund mellan Sverige och Danmark. 1682 infördes svensk lag och nu började en intensiv kampanj för att försvenska gammalt danskt land. Det skedde med tekniken morot och piska – man använde allt från hot om våld till svenska ABC-böcker som sattes i barnens händer. 1693 upphörde Skåne att vara generalguvernement och blev ett svenskt landskap.

I Roskildefreden hade skåningarna fått löfte om att få behålla sina danska lagar och sedvänjor. Löftet upprepades vid flera tillfällen men verkligheten blev en annan. Det gnyddes åtskilligt över försvenskningen, men efter ett par generationer var slaget vunnet och de forna danska provinserna omorienterade – historiskt sett var detta en av de snabbaste förändringarna i sitt slag.

Efter 1710 gjordes inga flera försök från danskt håll att

återerövra Skåne. Danmark var försvagat och den svenska förvandlingspolitiken firade sina triumfer i högre samhällsskikt, bönderna blev aldrig tillfrågade och fick vackert rätta sig efter den nya tidens bud. Resten av 1700-talet blev i stort sett en fredens tid. Napoleontidens omvälvningar på kontinenten i början av 1800-talet kom att beröra Skåne marginellt. I början av 1805 blev Sverige medlem i ett stormaktsförbund mot kejsar Napoleon. Svenska trupper samlades i Skåne och kung Gustav IV Adolf valde att ha sitt residens i Malmö.

1807 riktade engelsmännen ett slag mot Danmark för att förhindra att danskarna anslöt sig till Napoleon. Köpenhamn bombarderades och danska flottan föll i engelsmännens händer. Dessutom föreslogs att 15 000 engelska soldater skulle förläggas i Skåne för att så småningom inleda en operation i Själland. Efter viss tvekan tackade dock svenska regeringen nej till detta förslag.

Den engelska aktionen fick till följd att Danmark och Norge slöt upp på Napoleons sida medan Sverige höll sig till engelsmännen. I denna veva ryckte en fransk armékår in i Holstein under den franske marskalken Jean Baptiste Bernadottes ledning. Det fanns också planer på ett fransk-danskt krigsföretag mot Skåne, men planerna rann ut i sanden. Ödet ville annorlunda. Samme Bernadotte blev genom en rad egendomliga händelser i Paris lockad att bli kung i Sverige och den 20 oktober 1810 landsteg han i Helsingborg som kronprins. Men det är som man brukar säga en annan historia.

För att klara yttre anfall beslöts att ett lantvärn skulle skrivas ut och utrustas. Det skulle omfatta 30 000 man i åldrarna 18–25 år. I Skåne satte man upp fem bataljoner med 2 600 man. Men lagren av uniformer och persedlar räckte inte till alla. De 75 man som Malmö ställde upp med fick sin utrustning av staden, en vit vadmalsrock med blå krage. På fötterna bar soldaterna sina egna träskor och de beväpnades med lätta engelska gevär.

Någon egentlig betydelse för försvaret fick inte armén. De unga soldaterna slet ont och många dog av sjukdomar, svält och umbäranden. 1811 påbjöds att ytterligare 15 000 man skulle tas ut som förstärkningsmanskap. Saken väckte stor oro på den skånska landsbygden där man hade lantvärnets fasor i starkt minne. Man protesterade hos berörda myndigheter och det förekom en del större demonstrationer, bland annat i Helsingborg sommaren 1811. En annan uppseendeväckande demonstration utspelades vid Klågerup några dagar efter Helsingborgsmönstringen. Drygt 1 200 bönder och drängar samlades vid Klågerups sätesgård och stundtals gick man hårt fram med präster och andra överhetspersoner. Malmös kommendant, generalmajoren Hampus Mörner, ryckte ut med 150 man för att dämpa de upproriska. I styrkan ingick 40 beridna husarer, samt två kanoner. Stämningen var hotfull, någon avlossade ett skott från bondehären och det besvarades med en kanonsalva. När husarerna sedan ryckte fram med blanka vapen dödades ett 30-tal av de protesterande och ett par hundra togs till fånga. De fördes till Malmö och placerades på Malmöhus slott där de led fruktansvärt av den dåliga behandlingen. En tredjedel dog av sjukdomar och svält. Några månader senare dömdes de upproriska till stränga straff och tre avrättades.

Nya tider stundade. I Malmö byggdes hamnanläggningar och man kunde åter satsa på handeln med omvärlden. Med järnvägens ankomst började folkmängden öka. Malmö blev Sydsveriges ekonomiska centrum. Från 5 000 innevånare på 1700-talet växte folkmängden till 13 000 år 1850. I början på 1900-talet hade siffrorna ökat till över 100 000. Industrialiseringen sköt fart och staden utvidgades. Malmö intog sin position som Sveriges tredje stad efter Stockholm och Göteborg. Kockums skeppsvarv var stadens stolthet och blev under 1970-talet störst i världen när det gäller sjösatt tonnage.

I dag befinner sig Malmö i en omvälvande fas, det är befogat att tala om en brytningstid. De stora industriernas och

För att sena tiders barn skall få uppleva hur det känns att åka spårvagn finns en bevarad linje vid Malmöhus.

A single tramline is kept running at Malmöhus for the pleasure and edification of the people of today.

Damit die Kinder von heute erleben können, wie es ist mit einer richtigen Straßenbahn zu fahren, hat man eine Strecke an der Festung Malmöhus bewahrt.

varvens tid är förbi. I stället har småindustrier, handel och tjänster blivit de viktigaste näringarna. 97 procent av företagen har mindre än tio anställda. Man räknar med 8 800 företag och av dem är 1 100 tillverkande företag, 1 600 finns inom partihandeln. Nu satsar man på att göra Malmö till en kunskapsstad med den nya högskolan som spjutspets. Framtidssynen är klart positiv och tränger igenom på många olika plan.

Befolkningen i Malmö är i dag en annan än för tjugo trettio år sedan. De inkomststarka familjerna har flyttat ut till omgivande kommuner, in rullar stora skaror utländska medborgare. Nu kommer också de unga från andra kommuner i Sverige till Malmö, inte minst barn till dem som flyttade ut under 1970-talet.

Arbetslöshet, minskad skattekraft och ökande kostnader för sjukvård, socialvård och sysselsättningsåtgärder gjorde att Malmö i mitten av 80-talet hamnade i en besvärlig situation med stora underskott i budgeten. Ekonomin kunde dock repareras och Malmö fick möjligheter att börja bygga upp sin kassa. Helt klart är att Öresundsförbindelsen har bidragit starkt till den ökade optimismen i Malmöregionen. Den gamla drömmen om en fast förbindelse över Öresund är verklighet med allt det för med sig av nya möjligheter. Nu skapas en gemensam dansk-svensk marknad för handel, bostäder och arbete, kultur, utbildning och forskning. Den sammankopplade stadsregionen Köpenhamn-Malmö-Lund med över två miljoner invånare kommer att få norra Europas bästa infrastruktur.

Om ovanstående historiska lapptäcke och händelsemosaik kan sägas att det inte på något sätt gör anspråk på annat än nödtorftig täckning av flydda tiders händelser och senare tiders utveckling. Kanske kan denna sammanställning av årtal och omständigheter ändå ge en bild av Malmö som behärskats av danskar, Hansatidens affärsbegåvningar och svenskar. Man kan konstatera att det land som behärskade Malmö behärskade Skåne. Märkligt är också att Malmö aldrig blev erövrat och plundrat i egentlig mening. Det visar att det alltid har funnits en speciell tåga hos stadens befolkning. Malmöborna har i de allra flesta fall haft ödet och turen på sin sida.

Stadsvandring

D ET FINNS EN strategisk punkt på Stortorget i Malmö, alldeles intill den imponerande statyn av Karl X Gustav till häst, som kan vara en idealisk utgångspunkt för en promenad i Malmö. En lätt promenad kan sägas, här besväras vandraren inte av backar och motlut. Malmö är en platt stad, nivåskillnaden lär vara tio meter, att jämföras med Lund som ståtar med 90 meters nivåskillnad. Det var detta torg med vattenkonst som Carl von Linné stegade upp, 200 steg gånger 200 steg, och berömde som ett av de finaste i landet. Just från denna punkt kan man se en hel del

Stortorget i Malmö är kantat av historiskt värdefulla byggnader. Mot Rådhuset spanar Karl X Gustav till häst. På bilden ovan det vita landshövdingeresidenset. Lilla bilden: utsmyckningsdetalj i en husvägg.

Stortorget in Malmö is surrounded by historically significant buildings. Karl X Gustav on horseback gazes towards the City Hall. The picture above shows the provincial governor's official residence. Small picture: A decorative wall feature.

Der Stortorget (Großmarkt) ist von geschichtlich wertvollen Gebäuden eingerahmt. Auf das Rathaus zu späht Karl X. Gustav hoch zu Ross. Oben: Die weiße Residenz des Regierungspräsidenten. Kleines Bild: Ein Schmuckdetail an einer Hauswand.

intresseväckande och kulturhistoriskt nyttigt: Stortorget, Lilla Torg och gågatan som leder till Gustav Adolfs torg. Blickar man åt andra hållet ut mot hamnen och sträcker på sig skymtar man med litet god vilja Öresunds glittrande vågor. Bron ser man däremot inte, den ligger en bra bit söderut vid Lernacken.

Håller vi oss kvar på Stortorget är det främst arkitekturen som intresserar. Här och i kvarteren intill finns en rad väl bevarade byggnader från medeltiden att studera, bland annat S:t Petri kyrka, en imponerande helgedom byggd i baltisk tegelgotik som firar 700-årsjubileum och får en del av sina utsmyckningar och kalkmålningar i Krämarkapellet restaurerade. Malmö rådhus uppfört i trappgavelstil och med källarvalv från 1500-talet är en produkt av stor ombyggnad på 1860-talet. Andra berömda byggnader som omger torget är Landshövdingeresidenset, Kockska huset, berömda Hotel Kramer, de kompakta affärs- och kontorshusen, apoteket Le-

47

48

I stil och skönhet kan få hus i Malmö tävla med Jörgen Kocks praktbostad. Lägg märke till den vackra miniatyrstatyn av jungfru Maria med Jeusbarnet som kan ses på fasaden.

Few houses in Malmö can compete with Jörgen Kock's magnificent residence in elegance and beauty. Note the beautiful miniature statue of the Virgin Mary and the Infant Saviour on the front of the house.

Kaum ein Haus kann sich in Stil und Schönheit mit dem von Jörgen Kock messen. Man beachte die schöne Statuette der Jungfrau Maria mit dem Jesuskind, die an der Fassade zu sehen ist.

jonets imponerande fasad och springan som leder till Lilla Torg med dess kulturutbud och kulinariska förlustelser.

Det är lätt att lockas till Kockska huset där den imposante Malmöprofilen Jörgen Kock residerade. Huset som Kock bodde i ägdes först av Margareta Stangis dotter, änka efter en borgare i Lund. Sedan övertogs tomten av sonen Peder Henricssön, men snart donerade han den till Mariaklostret i Sorö och blev själv munk. Därefter hyrde abboten Hinrick ut det till Casper wan Cassel år 1479. 1522 köpte Jörgen Kock huset av abboten. Huset är byggt i sengotisk stil, rikt utsmyckat, och på hörnet av Väster- och Frans Suellgatorna kan man se en liten staty av jungfru Maria med Jesusbarnet i famn. Den som har kikare med sig kan hitta många spännande utsmyckningsdetaljer på Kockska husets fasad. I källarvalven

finns en krog med imponerande matsedel som tillfredsställer de högsta krav.

Med några snabba steg på Frans Suellgatan kommer man till högst densamme som står staty framför Dringenbergska gården vars historia går tillbaka till stadens äldsta tid. I källaren finns rester av en kyrka från mitten av 1200-talet. Huset byggdes ursprungligen åt Henrik Dringenberg som på 1400-talet var dansk myntmästare och fogde i Malmö.

Frans Suell på sin sockel blickar energiskt och förnöjt ut mot Öresund. Han levde 1744–1817 och verkade som affärs- och industriman med ett stort inflytande på stadens utveckling. Han var den som såg till att Malmö fick en modern hamn. Dessutom startade han socker- och klädestillverkning och hade stora intressen i tobaksindustrin. Suells framgångar har satt djupa spår i Malmös kommersiella liv. Med hans efterlämnade förmögenhet startade svärsonen Henrik

Hotell Kramer i fransk slottsstil uppfördes 1873–74 och har rymt många förnämliga restauranger. En säker träffpunkt för folk i farten.

The Kramer Hotel, built 1873–74 in the palatial French style, has housed many exclusive restaurants. It is a favourite meeting place for people on the go.

Das Hotel Kramer wurde 1873–74 im Stil französischer Schlösser gebaut und hat viele feine Restaurants beherbergt. Ein sicherer Treffpunkt für Leute, die aktiv sind.

Frans Suell är en av Malmös namnkunniga och framsynta industrialister. Från en granitsockel framför Dringenbergska gården blickar han mot havet och den hamn som tillkom på hans initiativ.

Frans Suell was one of Malmö's eminent and far-sighted industrialists. From a granite plinth in front of Dringenbergska Gården he gazes out towards the sea and the harbour which was built on his initiative.

Frans Suell war einer der in Malmö bekannten und voraussehenden Industriellen. Von seinem Granitsockel vor dem Dringenbergschen Hof aus, sieht er auf das Meer und den Hafen hinaus, der auf seine Initiative hin gebaut wurde.

Kockum Kockums Mekaniska verkstad som så småningom skulle bli en världsindustri på varvssidan.

Om denna framgångsrika period i Malmös industriella historia minner den 140 meter höga Kockumskranen i hamnen, synlig över hela Malmö. Den byggdes 1974 men har länge stått obrukad i väntan på beslut om vilket öde den skall vederfaras. Ett bud hösten 1999 säger att kinesiska köpare vill montera ner hela stålkonstruktionen och skeppa den till ett varv i fjärran östern. Helt klart är att om den en dag försvinner, kommer många att sakna den jättelika lyftmaskinen som blivit något av en symbol för Malmös industriepok.

När kronprinsessan Victoria i augusti 1999 glatt kramade sin danska kollega kronprins Frederik på den sammanlänkade bron över Öresund, fullföljde hon en kunglig tradition att besöka Skånes huvudort. I Malmö finns nämligen ett flertal spår av svenska kungligheter. Oscar II:s namn kan ses på en sten i hamnen. I residenset är Karl XV:s dödsrum. Litet trevligare minnesmärke med kunglig anknytning är en silverplatta i Bikupans hus. I husets jugendinspirerade elektriska hiss kan följande text läsas:

Under decemberdagarne år 1914
När här på Gustaf V:s inbjudan
Trekungamötet hölls i Malmö
och Christian X bodde här
hos f.d. talmannen och fru Carl Herslow,
åkte Nordens tre Konungar i denna
Sparbanken Bikupans hiss

Så ser man till att minnet av stora händelser bevaras. En hissfärd med tre kungar får sin egen silverplatta. Det minnesvärda trekungamötet hölls den 18 och 19 december 1914 med kung Gustav V av Sverige, Håkon VII av Norge, Kristian X av Danmark och de tre ländernas utrikesministrar som deltagare. Mötet syftade till att manifestera den gemensamma nordiska neutralitetsviljan under första världskriget och fick stor publicitet i pressen. Särskilt välinformerad var Sydsvenska Dagbladet genom dr Carl Herslow som i sin våning tog hand om Kristian X av Danmark. Herslow var en inflytelserik man i Malmö med många järn i elden. Han var talman i riksdagen, kommunalpolitiker, god ekonom, publicist och grundade Sydsvenskan 1870 (sammanslagen med Snäll-Posten året därpå). Han verkade långt upp i åren och var 96 år när han dog 1933. Sveriges nuvarande kung Carl XVI Gustaf och drottning Silvia har också varit på besök i Malmö, ett tillfälle att nämna var kungaparets deltagande i Stora Amarantherordens bal 1977. Dåvarande landshövdingen Nils Hörjel fick det charmerande uppdraget att dansa första dansen med drottning Silvia i festsmyckade Knutssalen. Vid samma besök blev också kungaparet hedersbrandchefer i Malmö brandkår, en tradition som brukar vederfaras världsstjärnor och celebriteter på högsta nivå.

Vid Apoteket Lejonets praktfasad kan man studera prov på snart hundraårig marknadsföring, numera restaurerad för att bevaras till eftervärlden.

The imposing facade of the Lejon Apothecary displays marketing concepts which are practically a hundred years old and which have now been restored and preserved for future generations.

An der prächtigen Fassade der Löwenapotheke (Apotheket Lejonet) kann man Beispiele einer fast hundertjährigen Verkaufsstrategie studieren. Die Apotheke ist restauriert worden, um der Nachwelt erhalten zu bleiben.

Om vi för några ögonblick lämnar Malmös gamla stad innanför kanalen och blickar mot Malmöhus och vallgravarna, så närmar vi oss en mycket viktig del av staden och dess historia. Malmöhus är Nordens äldsta bevarade renässansslott. Här bodde kungarna under sina besök i Malmö. Försvarsanläggning, kungabostad och beryktat fängelse är några användningsområden.

En nyckelroll i detta sammanhang har Erik av Pommern

Malmöhus – en fästning värd
namnet. Under tidernas lopp har
dess öden skiftat från stolt för-
svarsanläggning till beryktat
fängelse.

Malmöhus–a fortress worthy of
the name. Its fate has varied over
the years from a proud defensive
establishment to an infamous
prison.

Malmöhus ist eine Festung, die
diesen Namen verdient hat. Im
Laufe der Jahre hat sich ihr
Schicksal verändert: von stolzer
Verteidigungsanlage zum
berüchtigten Gefängnis.

som redan på 1400-talet uppförde det som senare skulle ut-
vecklas till den stora borgen. Det finns fortfarande kvar res-
ter av den borg som Erik lät bygga. En annan Malmöbo som
höll hov här var Jörgen Kock och han inviterade Gustav Vasa
till sin bostad när denne besökte Malmö 1514.

Ett dramatiskt avsnitt av historien är när Kristian II för-
sökte återkomma som kung efter sin avsättning. Hans sak
stöddes av borgare och bönder medan adeln valde Fredrik I
som sin favorit. Den senare dog 1533 och striden om tronen

blev allt häftigare och blodigare. Nu kastade sig Kristian III
in i leken men fick Kristian II:s anhängare mot sig. Jörgen
Kock som alltid hade ett blött finger i luften och visste hur
vindarna blåste, gillrade en fälla för fästningskommendanten
Magnus Gyldenstierna. Kock bjöd hem honom under – får
man förmoda – falska förespeglingar, och låste helt sonika in
sitt offer. Sedan blev det fritt fram för borgarna att riva i fäst-
ningen. Efter förvecklingarna blev Kristian III kung och som
första åtgärd lät han bygga upp ett imponerande Malmöhus

55

med vallgravar och befästningsanordningar. Material hämtades bland annat från rivna kyrkor och välvilliga leverantörer i Danmark.

Glansperioden för Malmöhus var ganska kort, bara fyra år, och inföll 1554–1558 när den galante Fredrik II bodde här.

Under en period användes borgen som fruktat fängelse. Maria Stuarts tredje man, den äventyrslystne skotten James Hepburn, 4:e earlen av Bothwell, satt här 1568–1573 innan han flyttades till Dragsholm på Själland. När Skåne blev svenskt försköts en del av tyngdpunkten till Landskrona och Malmöhus betydelse tonades ner. 1677 är i alla fall ett årtal att notera. Fästningen förhindrade då en dansk armé att erövra Malmö.

År 1870 brann det i byggnaderna och den gången satt närmare 800 fångar bakom lås och bom. Hur många som under tidernas lopp har lidit och dött i borgen vet väl ingen.

I dag är Malmöhus ett mycket imponerande museum, måhända Sveriges finaste, med samlingar av konst och konsthantverk, stadshistoria, arkeologi och naturhistoria. Här kan man studera Malmö stads och Skånes förhistoria och medeltid som presenteras genom redskap, vapen och husgeråd som hittats vid arkeologiska utgrävningar. I Kungsvåningens salar visas möbler och målningar från slottets storhetstid. I den så kallade Skovgaardssalen finns världens äldsta spelbara orgel, byggd på 1400-talet. Konstmuseet har en av landets största samlingar av nordisk 1900-talskonst med verk av bland andra Carl Fredrik Hill, Carl Reuterswärd, Max Walter Svanberg, Torsten Andersson och Gunnar Norrman. Ett fantastiskt porträtt av 1700-talskonstnären Alexander Roslin ingår också i samlingarna.

Roslin som målade det kända verket *Damen med slöjan*, föddes för övrigt i Malmö i huset Hamngatan 4. Med detta är vi tillbaka till staden innanför kanalen. I ett palatsliknande hus hittar vi anrika Savoy Hotell, som ritades av Frans

Lilla Torg har blivit ett av Malmös populäraste samlingsställen med mängder av restauranger och butiker. På sommarkvällarna är här ett folkliv som inte står kontinentens mondäna stråk efter.

Lilla Torg, with its numerous restaurants and shops, is today one of Malmö's most popular meeting places. The summer evening crowds are on a par with those of the mundane Continental centres.

Der kleine Markt (Lilla Torg) ist einer der beliebtesten Versammlungsplätze mit vielen Restaurants und Läden. An Sommerabenden ist hier ein Betrieb, der nicht hinter den mondänen Straßenzeilen des Kontinents zurücksteht.

Ekelund i wiensk jugendstil. Här har generationer Malmöbor och besökare njutit det skånska bordets yppersta gåvor.

Bakom rådhuset ligger Kompanihuset från 1520-talet som ursprungligen inrymde Danska Handelskompaniet. När Stortorget inte räckte till för stadens ökande handel byggdes Lilla Torg. Här kan man titta närmare på Faxenska Gården och Ekströmska huset. Hedmanska Gården är ett gammalt handelshus med byggnadsprov från 1500-talet. I dag kan man studera vår tids industriformgivning och konsthantverk i huset. En annan sevärdhet är kvarteret S:t Gertrud, som lyckligtvis undgick den stora rivningsvågen på 1960-talet och består av en samling hus från 1500- till 1800-talet – prisade för det fint utförda restaureringsarbetet. Thottska huset med byggnadsår 1558 är Malmös äldsta korsvirkeshus.

Området vid Centralstationen är ett naturligt avstamp för

Lilla Torg – kantat av vackra medeltidshus, är ett måste för Malmöturisten.

Kanske finns också tid för en kanaltur under stadens många broar. I bildens bakgrund (ovan) syns Malmö Börshus och huset med torn som byggdes för hamnförvaltningen.

Lilla Torg is surrounded by beautiful medieval buildings and is a major tourist attraction.

Perhaps there is also time for a trip along the canal under the city's many bridges. In the background (above), Malmö Stock Exchange and the Harbour Administration building.

Lilla Torg – umgeben von schönen Häusern des Mittelalters, ist ein muss für den Malmötouristen.

Vielleicht findet sich auch Zeit für eine Kanal-Rundfahrt unter den vielen Brücken der Stadt hindurch. Im Hintergrund des Bildes (oben) sind die Börse und das Haus mit Turm für die Hafenverwaltung.

dagens resenärer. Själva stationen byggdes på 1890-talet, ritad av Adolf Wilhelm Edelsvärd. Till skillnad från andra storstäders stationer är Malmö central en prydlig anhopning av informationsställen, turistbyrå, växlingskontor och serveringar. Här kan man också köpa biljetter till teaterföreställningar och evenemang i Malmö, Lund och Köpenhamn. Bakom centralen ser man det stora posthuset från 1906, ritat av Ferdinand Boberg – här firar nationalromantiken stor triumf. Går vi vidare kommer vi till Malmö Slagthus, i dag inte alls så blodigt som när det byggdes strax efter sekelskiftet. I stället har det nu blivit nöjescentrum med teater, disco och restauranger. Till områdets fördelar hör de parkeringsplatser som brukar utnyttjas av resenärer som turar till Köpenhamn med Pilen och andra båtar.

Malmö har mängder av hus som hör till det finaste som arkitekter skapat i landet. Detta prakthus vid Södergatan som ritades av Theodor Wåhlin reser sin stolta spira mot sommarhimlen och innehåller idag hotell Baltzar och en rad affärslokaler. Förste ägaren John Hultman bodde här i en praktvåning.

Malmö has many buildings which are among the finest in the country. This imposing building in Södergatan, designed by Theodor Wåhlin, thrusts its proud spire into the summer skies and currently houses the Baltzar Holt Hotel and several business offices. John Hultman was the original owner and he occupied a magnificent apartment in the building.

In Malmö gibt es eine Menge Häuser, die zu den schönsten architektonischen Schöpfungen des Landes gehören. Dieses prächtige Haus in der Södergatan (Südstraße) wurde von Theodor Wåhlin entworfen. Es streckt seine stolze Spitze dem Sommerhimmel entgegen und beherbergt heute das Hotel Baltzar und eine Reihe Geschäfte. Der erste Eigentümer, John Hultman, wohnte hier in einer Prachtwohnung.

På gågatan mellan Stortorget och Gustav Adolfs torg spelar den populära Optimistorkestern med musikanter i brons – alla barns klätterfavorit.

The popular Optimist Orchestra with its bronze musicians attracts many young climbers and is located in the mall between Stortorget and Gustav Adolf's Square.

In der Fußgängerzone, zwischen dem Stortorget und dem Gustav Adolfs Torg spielt das Optimisten-Orchester aus Bronze – ein Kletterfavorit für alle Kinder.

Malmös innerstad har de senaste
åren genomgått en stor uppfräsch-
ning och nya dekorativa element
har tillförts stadsbilden. På Gustav
Adolfs torg har konstnären Sivert
Lindblom skapat vattenspelande
fontäner som vintertid lyser upp
torget med flammande gaslågor.
Till höger:
På Triangeln kan Bjørn Nørgaards
"Treenighet" studeras i skuggan
av en imponerande hotellbyggnad
med glasfasad.

The centre of Malmö has been
smartened up in recent years and
has been embellished with many
new decorative features and works
of art. The artist Sivert Lindblom
designed the decorative fountains
in Gustav Adolf's Square which in
winter brighten the square with
their flaring gas jets.
Right:
At Triangeln Bjørn Nørgaard's
"Trinity" can be seen in the sha-
dow of an imposing hotel building
with a glazed front.

Das Gesicht von Malmös Innen-
stadt ist in den letzten Jahren
restauriert worden, und neue de-
korative Elemente wurden dem
Stadtbild zugeführt. Auf dem Gus-
tav Adolfs Torg hat der Künstler
Sivert Lidblom ein Wasserspiel ge-
schaffen, das zur Winterszeit mit
Gasflammen erleuchtet.
Rechts:
Am Triangeln (Dreieck) kann
Bjørn Nørgaards „Treenighet"
(die Dreieinigkeit) im Schatten der
gläsernen Fassade eines imposan-
ten Hotels studiert werden.

En kulturstad

KULTUREN HAR EN alldeles speciell plats i Malmö.
Det är väl sörjt för andlig spis som står sig bra i in-
ternationell jämförelse och spännvidden är stor. Här
finns åtskilliga teatrar och ett konserthus med Malmös be-

One of the main popular attractions of the Scanian metropolis is the theatre Stadsteatern, which has one of northern Europe's largest stages. The productions staged here are of the highest international standard.

Zum großen Anzugspunkt für das Publikum der Metropole Schonens gehört das Stadttheater, das eine der größten Bühnen Europas hat. Hier werden Vorstellungen der höchsten internationalen Klasse dargeboten.

römda symfoniorkester som presterar åtskilliga premiärer varje år och har blivit nominerad till The Gramophone Award för CD-inspelningar i toppklass. Stadens konsthallar har utbud som ofta når världsklass. Storan bjuder på opera, musikteater och dans på en av Europas största scener. Sommartid tar man djärva grepp, 1999 spelades Pajazzo på piazzan utanför teatern med lyckat resultat. För att inte föreställningarna skulle störas stängdes trafiken av på närliggande gator, en åtgärd som måhända visar vilken inställning det finns till kulturutbudet, även från de styrandes sida.

1999 var det hundra år sedan Hippodromen på Kalende-
gatan öppnades för publiken. Etablissemanget utformades
som en cirkus, allt enligt tidens smak. Åtskilligt har hänt i lo-
kalerna under seklets gång. Cirkus, varietéer, teater, kyrka
och nu teater igen. Det är Malmö Dramatiska Teater som
svarar för de nya visionerna i en anrik byggnad, allt till Mal-
möpublikens förnöjelse.

Efter viss ombyggnadsvånda fick Malmö ett storbibliotek
i Slottsparken som man har all anledning att yvas över. Det
ritades av den kände danske arkitekten Henning Larsen och
är ett av Europas största, anpassat för 1,5 miljoner lässugna
per år. Här firar informationsteknologin stora triumfer och
det som inte kan erbjudas på tryckta sidor i böcker eller tid-
skrifter hittar man på bibliotekets internetuppkopplingar
och databas. Hyllorna rymmer 700 000 böcker, 1 700 tid-

Till vänster: Hippodromteaterns klassiskt vackra entré i hästskoform på Kalendegatan.
Ovan: Arkitekten Henning Larsens prisbelönta stadsbibliotek i Slottsparken, med informationsteknologins alla tänkbara hjälpmedel. En sevärdhet för alla bokälskare.

Left: The classically beautiful crescent-shaped entrance to the Hippodrome Theatre in Kalendegatan.
Above: Architect Henning Larsen's prize-winning City Library at Slottsparken houses IT facilities of every conceivable kind and is of tremendous interest to book lovers.

Links: Der schöne klassische Eingang des Hippodrom-Theaters in der Form eines Hufeisens in der Kalendegatan.
Oben: Die preisgekrönte Stadtbibliothek von Henning Larsen im Schlosspark mit allen denkbaren Hilfsmittel der Informationstechnologie. Sie ist eine Sehenswürdigkeit für alle Bücherwürmer.

67

skrifter, 1500 hyrvideofilmer och 12 000 musik-CD.

Malmö Konsthall och Rooseum har tillsammans med Malmö Konstmuseum satt staden på den internationella konstkartan. Här visas samtidskonsten och moderna klassiker på generösa vägg- och golvytor.

Konsthallen, som invigdes 1975 och firar sitt 25-årsjubileum med en jubileumsutställning, är Europas största, ritad av arkitekt Klas Anselm i Lund. Det stora låga rummet har en utställningsyta på 2 700 kvm med raffinerad takbelysning som består av snedställda glasade reflektorer. Hallen invigdes med en utställning av Edward Munchs måleri och har sedan följts av en rad världsnamn som van Gogh, Hill, Kandinsky för att nämna några. Senaste säsong har delar av den Schylska donationen visats och följs upp av en andra del ur denna gedigna samling. I hallen finns en sluten hörsal med 120 sitt-

Malmö Konsthall bjuder på storevenemang i en väldig hall med flödande dagsljus.
Till höger: I Elverket inryms Rooseum, ett av Europas vackraste museer med internationell och svensk samtidskonst som specialitet. Här görs också stora retrospektiva utställningar med Sveriges främsta konstnärer.

Malmö Konsthall arranges major events in an enormous gallery which is bathed in daylight.

Malmös Kunsthalle bietet große Ausstellungen in flutendem Tageslicht an.

68

Rooseum is housed in Elverket, one of Europe's most beautiful museums specializing in international and Swedish contemporary art. Big retrospective exhibitions of the works of leading Swedish artists are arranged here.

Im Elektrizitätswerk befindet sich das Rooseum, eines der schönsten Museen mit zeitgenössischer internationaler und schwedischer Kunst als Spezialität. Hier werden auch retrospektive Ausstellungen der bekanntesten nationalen Künstler gemacht.

platser och vidare en välsorterad museishop och ett kafé.

Rooseum grundades 1988 av den svenske konstsamlaren och finansmannen Fredrik Roos (1951–1991). Efter Roos bortgång drivs museet av en stiftelse bildad av Malmö stad, Lill och Axel Roos och Louisiana i Danmark. Många anser att Rooseum har Europas vackraste utställningsrum. Byggnaden, uppförd 1900 för att rymma Malmö Elektricitetsverks ångturbiner, och senare ombyggd för sitt nuvarande ändamål, har en sammanlagd utställningsyta på 1 500 kvm fördelat på tre gallerier med den stora turbinhallen som centrum. Här möter man i genomarbetade utställningar de centrala konstnärsskapen i internationell samtidskonst. Stora retrospektiva utställningar belyser svenska konstnärer. Rooseum har också ambitioner att göra retrospektiva utställningar "mitt i karriären" för konstutövare som påverkar

konstlivet i Sverige. Rooseum är också helt visst världens
"starkaste" konstmuseum. Kvar i hallen finns en travers som
klarar att lyfta de största konstskapelser och skulpturer på
många ton!

För den stora grupp av människor som älskar film och
biografvisningar kan det vara av betydelse att känna till att
den första bioföreställningen i Sverige ägde rum i just Mal-
mö. Datum var den 28 juni 1896 (en pressvisning kvällen in-
nan lämnar vi därhän). Samma dag som den första bioföre-
ställningen timade också ett annat storevenemang i Malmö.
Kronprins Gustaf invigde Börjesons stora ryttarstaty av Karl
X Gustav på Stortorget och trängseln var lika stor som på nu-
tidens Malmöfestival den kväll det sugs kräftor. Man kan
därför tro att det inte kom mycket folk till den första biofö-
reställningen – men det gjorde det med besked.

Journalisten Bertil Widerberg, som under många år glad-
de Sydsvenskans läsare med sina inträngande reportage i skil-
da ämnen, har skildrat denna Sveriges första filmpremiär i
den intressanta boken *Malmö*, utgiven 1964. Visningsloka-
len låg inom Nordiska industri- och slöjdutställningens om-
råde och specialuppfördes för ändamålet. Den som förde fil-
men till Sverige var en herre med namnet Axel Prior som re-
presenterade Koncertpalæt i Köpenhamn. Den första filmen
var inte en spelfilm i våra dagars mening, snarare en sorts
journalfilm med sekvenser från gatulivet i Paris. "Mest an-
slog en scen från Boulogne-skogen med sina cyklande damer
och herrar, som åkte fram mot åskådaren med den största na-
turtrohet", skrev Sydsvenskan i sin första filmrecension.
"Det fattades endast att fonografen återgifvit sorlet av men-
niskorna för att göra taflan illusorisk."

Redan där förebådade recensenten talfilmen. Filmvisning-
arna på utställningen pågick i tre månader och blev en hej-
dundrande succé. Widerberg har räknat ut att 92 speldagar
med 16 föreställningar om dagen lockade 75 000 besökare,
möjligen räknat i underkant. Lokalen där filmen visades sål-

Här har konstupplevelserna inga begränsningar. Rooseum anses av många vara ett av Europas vackraste utställningsrum.

Artistic experiences are unlimited here, and many people regard Rooseum as one of Europe's most beautiful galleries.

Hier haben die Kunsterlebnisse keine Begrenzungen. Das Rooseum wird von vielen als eines der schönsten Ausstellungslokale Europas angesehen.

des efter utställningen till en gård i Arrie där den avlövad all grannlåt blev lada. En sak för dagens cineaster att notera när biograferna har multivisningar med färg i salonger med superljud.

Kulturutbudet i Malmö lockar nära en miljon besökare per år. Räknar man dessutom in de mindre scenerna, såsom fria teatrar, biografer, musikarrangemang och utställningar, springer man lätt över miljonen.

Malmöfestivalen bjuder varje höst på storartade uppvisningar och folkliv i skön förening. Hela Stortorget fylls av förväntansfyllda som roar sig med kräftkalas i megaklassen. Goda drycker förtärs till dånet av levande musik från stora scenen. Festivalen är Sveriges trivsammaste utomhusarrangemang och helt gratis.

The Malmö Festival is staged every autumn and is an exciting blend of stage shows and hordes of people out for a good time. Stortorget is packed with eagerly expectant people enjoying an outsize crayfish party. All kinds of drinks are consumed to the accompaniment of live music thundering out from the big stage. The festival is Sweden's most enjoyable outdoor event and is quite free of charge.

Das Malmöfestival bietet jeden Spätsommer große Vorstellungen und Folklore in schöner Vereinigung an. Der ganze Stortorget füllt sich mit erwartungsvollen Menschen, die sich mit bei einem großen Krebsfest vergnügen. Gute Getränke werden zur ohrenbetäubenden Musik der Band auf der großen Bühne genossen. Das Fest ist eine der gemütlichsten Freiluft-Veranstaltungen Schwedens und dazu noch gratis.

Malmös gröna lungor

MAN BEHÖVER INTE vistas länge i Malmö för att upptäcka de härliga grönytor som bjuds alldeles nära stadskärnan. Kungsparken, Slottsparken och Pildammsparken hör till de vackraste som har anlagts i landet. Här bjuds all den härliga miljö som tänkas kan, vare sig man promenerar, joggar, cyklar eller njuter av livet på en filt. Pildammsparkens klassicistiska utformning gör den unik bland Nordeuropas parker. På Kronprinsessan Margaretas blomstergata planteras varje år tiotusentals blommor. Här har drottning Silvia en rosenträdgård som invigdes på drottningens födelsedag 1995. Bli inte förvånad om det i kören av fåglar hörs en näktergal, det hör till bilden. Den som vill studera fågellivet har rika tillfällen, här finns de flesta av fågel-

En av Malmös stora tillgångar är parkerna och kanalerna. Mitt i stan kan man hyra trampbåtar och kanoter och paddla iväg mellan grönskande trädridåer.

Malmö's parks and canals are among the city's main assets. Paddle boats and canoes can be hired in the town centre and paddled leisurely away through the lush foliage.

Malmö ist reich an Parks und Kanälen. Mitten in der Stadt kann man Tretboote und Kanus mieten und zwischen den grünenden Baumvorhängen hindurch in die Ferne paddeln.

bokens arter från svan till sädesärla, men också exotiska fåg-
lar i voljärer. Attraktionerna är många. På Friluftsteaterns
scen är det program snart sagt varje kväll från slutet av juni
till mitten av augusti. Här brukar Malmösonen Jan Malmsjö
uppträda inför mångtusenhövdad publik. Sinnenas trädgård,
Den Baltiska porten, Margaretapaviljongen och granitbrun-
nen från Baltiska utställningen 1914 är andra sevärdheter. Så
fort Baltiska utställningen kommer på tal får många Mal-
möbor en glimt av något stort och stolt i blicken. Det lär vara
den vackraste och imposantaste utställning som har visats i
staden.

I Pildammsparken fägnas ögat av ett strålande vattenspel.

I Pildammsparken bryts vatten-
speglarna av illuminerade vat-
tenkaskader, allt till ögats fröjd.
Här finns plats för alla från livs-
njutare till fågelvänner och
blomsterälskare.

The illuminated water cascades
in Pildammsparken are a delight
to see. There is room here for
everybody, from pleasure seekers
to bird and flower lovers.

Im Pildammspark wird der Was-
serspiegel von erleuchteten Was-
serkaskaden durchbrochen – eine
Freude für das Auge. Hier gibt es
Platz für alle, vom Genießer des
Lebens bis zum Blumenliebhaber.

Skimrande kaskader från fontäner kastas mot skyn, och befinner man sig på rätt sida av solljuset gnistrar en miniregnbåge över vattenspegeln.

Nära den generösa grönskan kommer man bekvämt med båt, det finns utflyktsbåtar som stilla glider på kanalen under 18 broar. Under den timme som båtturen varar, får man en nära staden-upplevelse av bästa sort. Men håll i hatten, särskilt vid högvatten. Det är sällan mera än några centimeter tillgodo vid några bropassager. En trevlig attraktion är utflyktsbåten Flotten som förutom själva vattenturen bjuder på musikaliska program, inte sällan trubadurer eller annan levande musik. Ett populärt nöje är att hyra cykelbåt och trampa sig runt i kanalsystemet i egen takt.

Den som föredrar vidare vyer och havsutsikt kan söka sig till Öresundsparken och Scaniaparken. En solnedgång över sundets vågor är en attraktion som Malmöborna älskar. Varje vacker kväll står människor vid stranden och njuter i kvällsbrisen. En del av dessa älskade grönytor nära Öresund kommer dock att bebyggas, Malmö expanderar kraftigt och nya stadsdelar växer upp. I gengäld kan sägas att de hyresgäster i Scaniaparken som får utsikt mot hav och vågor kommer att besitta landets attraktivaste bostäder.

Inte för inte har Malmö kallats parkernas stad. Raoul Wallenberg har en egen minnesplats med marmorskulpturen *Pienza* av Staffan Nihlén. Beijers Park är Malmös Agenda 21-park med mängder av ekologiska idéer och tillämpningar. På Ön i Limhamn är Öparken en attraktion för sportfiskare och flanörer.

Bulltoftaparken är ett stort naturområde på det gamla flygfältet med rikt växt- och djurliv och ett eldorado för motionssugna. Toftanäs, Torups slott, Bunkeflo strandängar – listan kan göras lång på allt som visligt nog har anlagts och bevarats till Malmöbornas fromma. En attraktion som stundom glöms bort är ett lokalt "Grand Canyon" – kalkbrottet i Limhamn, ett numera nerlagt dagbrott, sextio meter djupt och stort som 800 fotbollsplaner. Här finns omfattande byggplaner.

När vi nämner fotbollsplaner har Malmö det också väl förspänt. Malmö Stadion kan ta emot 32 000 entusiaster som gärna hejar på MFF, Malmös stolthet. 1999 återinvigdes ombyggda Malmö Idrottsplats, en gammal arena med plats för 7 800 åskådare. På Jägersro har hästsporten sin högborg och trav och galopp samlar storpublik när det kallas till Derby eller Hugo Åbergs Memorial, travets storevenemang.

I Malmö hör det till att koppla av i den sköna parkmiljön.

Relaxing in the beautiful parks is a feature of everyday life in Malmö.

In Malmö ist es Brauch sich in schöner Parkumgebung zu entspannen.

Golfarna har också rika tillfällen att utöva sin sport på de många banor som ligger inom räckhåll i Skåne. Malmö Fritids katalog över stadens föreningar innehåller inte mindre än 800 olika sammanslutningar, de flesta med idrottsanknytning. Till detta skall läggas Sveriges finaste idrottsmuseum på Eric Perssons väg med kunskapsbank och bibliotek som belyser allt från antikens idrott till den lokala idrotten i Malmö och Skåne.

Mäktiga trädridåer kantar grusgångar och stensatta promenadstråk.

Grand avenues of trees line the gravel paths and paved walkways.

Splitt- und plattenbelegte Spazierwege werden von mächtigen Baumvorhängen eingerahmt.

Jägersro

är Sveriges äldsta travbana och här rid
svensk Derby en söndag i juli. Ett eve-
nemang i högsta klass, med berömd
hattparad för damer från omgivande

Jägersro is Sweden's
oldest trotting race-
course and the Swedish
Derby is held here on a
Sunday in July. This is an
exclusive event with a
famous hat parade for
women from surrounding
towns and rural areas.
Inventive genius knows
no bounds–the important
thing is to be noticed
among the celebrities.

städer och slottsspäckad landsbygd. För uppfinningsrikedomen finns inga gränser – det gäller att exponera sin hattkreation och få del av kändisvärldens glans.

Jägersro ist Schwedens älteste Trabrennbahn und hier findet das Schwedische Derby an einem Julisonntag statt. Es ist eine Veranstaltung der höchsten Klasse – mit der berühmten Hutparade der Damen aus der Umgebung und der mit Schlössern gespickten Landschaft. Dem Erfindungsgeist sind keine Grenzen gesetzt – es gilt seine Hutkreation vorzuzeigen, um Anteil am Glanz der High-Society zu bekommen.

Malmö i framtiden

Å R 2000 – det nya årtusendets första år blir ett märkesår för Sveriges tredje stad och därmed också för hela regionen. Öresundsbron spänner nu sitt väldiga band över det glittrande vatten som så länge har hållit Sverige från Danmark. Med denna fasta förbindelse har en mer än hundraårig dröm gått i uppfyllelse. Städerna Malmö-Lund-Köpenhamn med över två miljoner människor smälter samman ekonomiskt och kulturellt. Det kommer att påverka dansk-svensk marknad för handel, bostäder, arbete, kultur, utbildning och forskning. Nära anslutningsvägen till Öresundsbron planeras en helt ny stadsdel med namnet Scanstad. I den integreras olika typer av hus och fastighetsbestånd som blir det första som resenärerna kommer att möta efter bropassagen. Här väntar också en företagspark som exponeras mot trafiken. Särskilt spännande blir den tänkta byggnationen kring det stora kalkbrottet som blivit en välkommen utmaning för arkitekter och byggare.

Allt det nya i Malmö binds samman av den planerade Citytunneln, ett gigantiskt projekt som sträcker sig under jord från Malmö Central till Lernacken vid brofästet. Stationen inne i city nås från Petribron, Slagthuset, Hjälmarekajen och nya högskolan. En underjordisk station byggs centralt vid Triangeln med nära avstånd till köpcentra, Stadsteatern, Konsthallen och Universitetssjukhuset MAS, Malmös största arbetsplats.

Näringslivet upplever en ny era, gamla industrier försvinner eller omvandlas till kunskapsrika företag med IT-satsningar som huvudlinje. Sveriges medlemskap i EU och utvecklingen i Östeuropa ger näringslivet stora möjligheter att

Få städer kan tävla med Malmö om närhet till sköna miljöer nära havet. Från höghusen vid Limhamnsvägen ser man över till grannarna på danska sidan.

utvecklas och expandera i framtiden. Den högre utbildning-
en är fast etablerad på Universitetsholmen i Malmö och an-
talet studenter kommer snart att uppgå till 15 000, kanske
ännu flera. Den byggboom som Malmöområdet med omgiv-
ningar upplever ger hela regionen ett uppsving.

Med Öresundsbron har Malmö fått en ny symbol och pro-
fil. Den gamla Kockumskranen som så länge har varit stadens
kännemärke kanske försvinner. I stället är det den nya brons
203,5 meter höga pyloner som tar uppmärksamheten. Blir
dessutom det nya hotell-, konferens- och bostadstornet Scan-

dinavian Tower verklighet i Hyllie har Malmö fått attraktioner av helt nytt slag. Med en totalhöjd på 325 meter blir det synligt över mycket stora områden.

Efter år av stagnation, rivningsraseri och beslutsvånda i en rad plan- och byggnadsärenden kan Malmö glädja sig åt en ny tid präglad av gryende optimism och framåtanda. Det nyenkla livet får sin chans och fortfarande gäller att den som har sett Malmö har sett världen – och haft ett roligt och givande besök i en av Sveriges finaste och mest dynamiska städer.

Till Skånemetropolens evene-
mang hör en årlig mässa som drar
storpublik. I det som en gång var
Saabs bilfabrik har man skapat
ett mässområde som kan erbjuda
snart sagt allt för en köpsugen
publik.

The Fair is one of Malmö's most
popular annual events and it
always draws big crowds. It is held
in what used to be the Saab car
factory and offers practically eve-
rything to people with plenty of
money to spend.

Zu den Veranstaltungen der Met-
ropole Schonens gehört die Mes-
se, die viele Besucher anzieht. Im
ehemaligen Automobilwerk von
Saab hat sich eine Messe etabliert,
die den kaufhungrigen Besuchern
fast alles bietet.

Några Malmösiffror

Landareal: 154 km²

Högsta byggnadsverk: Öresundsförbindelsens högbropyloner, 203,5 m över vattenytan

Folkmängd 1 januari 1999: 254 904

Befolkning per km²: 1 633

Stadsdelar: Fosie, Centrum, Hyllie, Limhamn-Bunkeflo, Södra innerstaden, Västra innerstaden, Rosengård, Husie, Kirseberg, Oxie. Störst folkmängd har Centrum med 33 798 personer, minst Oxie med 10 636. I Centrum arbetar 44 000 personer.

Malmöbor med utländsk bakgrund:

Födda i utlandet: 54 100. Andel av befolkningen: 22 %

Födda i Sverige med utländsk bakgrund (andra generationen): 30 147. Andel av befolkningen: 12 %.

En förälder född i utlandet och en i Sverige: 15 347.

Båda föräldrarna födda i utlandet: 14 800.

Arbetstillfällen 1996: 119 170

Malmös största arbetsgivare 1997: Malmö stad: 23 300, Posten Sverige AB: 2 300, Skanska Bygg AB: 1 950, Statens Järnvägar: 1 750, Sydkraft AB: 1 700, Rikspolisstyrelsen: 1 300, Telia AB: 1 300, Sydsvenska Dagbladet AB: 1 100, Arbetsmarknadsverket: 1 000, Samhall Syd AB: 1 000.

Passagerare på Sturups flygplats 1997: 1 612 855

Tidningar i Malmö: Sydsvenska Dagbladet, Arbetet Nyheterna, Skånska Dagbladet, Kvällsposten.

Besökare Öresundsutställningen febr–dec 1998: 286 327

Besökare Malmö stadsbibliotek 1997: 2 194 554

Besökare Malmö Konsthall 1997: 176 600

Besökare Rooseum 1997: 20 427

Besökare Malmö museer 1997: 209 806

Publik Malmö musikteater 97–98: 169 344
Publik Malmö Dramatiska teater: 29 476
Publik Skånes Dansteater: 13 923
Publik Malmö Symfoniorkesters konserter 97–98: 82 090

Öresundsbron:

Den fasta förbindelsen med järnväg och motorväg över Öresund sträcker sig knappt 16 km mellan Lernacken på den svenska kusten och Kastrup på den danska sidan. Förbindelsen består av:

○ En konstgjord halvö 430 meter ut från den danska kusten vid Kastrup.

○ En 4 050 meter lång tunnel mellan den konstgjorda halvön och den konstgjorda ön Pepparholm söder om Saltholm som i hela sin längd är 4 055 meter.

○ En högbro på 1 092 meter med ett fritt spann på cirka 490 meter och en högsta segelfri höjd på 57 meter.

○ Tillfartsbroar till högbron väster och öster om högbron. Den östliga tillfartsbron från svenska kusten till högbron är 3 759 meter lång och den västliga 3 014 meter.

På svenska sidan kommer trafiken från och till bron att ledas på Yttre Ringvägen som från Petersborg till Kronetorp blir 16,3 km motorväg. Sammanlagt 39 planskilda korsningar underlättar för trafikanterna.

Citytunneln:

Total längd Malmö Central–Lernacken blir 12 km. Totalt under mark inklusive stationer 6,2 km. Tågtrafik ca 300 tåg per vardagsdygn (totalt antal tåg i båda riktningar) år 2005– 2010. Av- och påstigande per dag vid Malmö Centralstation beräknas bli 35 000, vid Triangeln 25 000 och vid Hyllie 5 500.

LITTERATURFÖRTECKNING

Ambrius, Jonny: *Skånes historia i årtal,* Strömbergs, 1995

Andersson, Tommie: *Sällsamheter vid Öresund,* Rabén Prisma, 1994

Georgsson, Lars-Olof: *En liten bok om Malmö,* Malmö turist & kongress, 1995

Hellberg, Folke: *Skånes historia fram till Roskildefreden,* Scania, 1981

Johannesson, Gösta: *Skånes historia,* Signum, 1977

Jönsson, Åke: *Historien om ett residens,* Nordjem, 1993

Konstrunda på cykel i Malmö, Malmö stad, gatukontoret, 1998

Lindskog, Claes: *Utsikt från mitt stambord,* Askild & Kärnekull, 1971

Linné, Carl: *Carl Linnaei Skånska resa,* Wahlström & Widstrand, 1999

Persson, Jörgen och Rising, Anders: *Malmö & Lund bakom fasaderna,* Natur & Kultur, 1998

Rosborn, Sven: *Malmöhus,* Malmö museum, 1980

Sjöbeck, Mårten: *Skåne, en landskaplig orientering,* Seelig, 1936

Skånes Hembygdsförbunds årsbok: *Skånsk kulturbygd/Malmöhus län,* 1983

STF: publikation Nr 874: *Skåne,* 1944

STF:s Årsbok 1996: *1996 Skåne*

Tykesson, Tyke och Magnusson Staaf, Björn: *Arkitekterna som formade Malmö,* Carlssons, 1997

Widerberg, Bertil: *Malmö,* Bonniers, 1964

MALMÖ – a city in the world

An advertising campaign run a few years ago coined an expression which is now used on picture post cards from Sweden's third largest city. It says:"If you've seen Malmö you've seen the world". A humorous advertising slogan worth a smile, but also one to be taken to heart. As I see it the more time one spends in Malmö the more one likes this city. That there is now a bridge to foreign parts makes it all that much more exciting.

There is no doubt that the capital of Scania is a unique place in the world, a Swedish world which is undergoing fundamental changes. At the dawn of history the forbears of the people of Malmö earned their living tilling the soil and fishing for herring. South-west Scania has not been a true wilderness for several thousand years, and the province is the outcome of an ancient civilization process founded on the sweat and toil of a hundred and fifty generations. This was where Malmö came into being, an urban settlement which was to grow into one of Sweden's finest cities.

The name of Malmö itself is believed to have come from the word *Malmhauger* meaning sand heaps, and there is no shortage of sand here, as one can see today as huge modern excavators build new roads for the traffic using the Öresund Bridge. In the Middle Ages Malmö was known as *Ellenbogen* (the elbow) by German seafarers, presumably on account of the shape of Lomma Bay. About the sand itself, Carl von Linné wrote:

The Malmö area was sandier, and there were hardly any other stones than flints and these were rather small. The sea, Denmark and Copenhagen could be seen to the west practically all the way from Lund to Malmö.

Linné made copious notes about Malmö on his journey through Scania in 1749:

The market town of Malmö lies on the west coast of Scania opposite Copenhagen 24 miles across the Sound and is one of the largest towns in the kingdom; it has big buildings and wide streets. The town square is one of the largest in the kingdom, measuring 200 paces in length and as many in width; it is set round with tall lime-trees, horse-chestnut and walnut trees. And a fountain has been erected in the square opposite Corps de Guardie. It is supplied with water brought into the city from Pildammen, about 8 furlongs south of the city, via underground ducts through the very moats themselves, and from the fountain the water then passes through wooden pipes to most of the city's buildings.

It was here that a lively commerce based on heavy industry and shipbuilding flourished, and this was also the birthplace of the Swedish Labour Movement where the Social Democratic Party held sway for 66 consecutive years. It was here too that many continental journeys aboard fascinating ships and ferries started. The first steamboat to link Sweden and Denmark was the *Caledonia*, which made her maiden voyage in 1829. The poet Esias Tegnér commented on the joining of the two countries when he crowned his Danish colleague Adam Oehlenschläger with a laurel wreath "The time of dissension is past, and should never have had a place in the free and infinite spiritual realm..."

At this time it was perhaps usual simply to take a trip on a big boat from Skeppsbron in Malmö to Havnegade in Copenhagen, which was the nearest

foreign place available to those who wished to travel. There must still be plenty of Malmöites who remember the menu offered on that trip-pork chops or Wiener schnitzel, but it was much better aboard the vessels which replaced the big old boats. *Örnen* (the Eagle), which made its last trip at the end of November 1980, served *Plaice à la Öresund* with mushroms in butter sauce or *Fillet of veal à la Oscar*, which was served with prawn, asparagus, Bearnaise sauce and pommes frites. This was served with a chilled Pilsener and short drinks. It is hardly necessary to say that it tasted delicious in the maritime setting.

When the route was discontinued there were trips from Smörkontrollen in the outer harbour to the Tuborg brewery, 13 kilometres to the north of the Danish capital. After a number of different sea routes were tried it was the turn of the seaplane, which, according to the well-known Danish surgeon Knut Haeger of Lund, "was only good for shaking the kidneys down into the pelvis". The Limhamn–Dragör ferry was another connecting link until it was discontinued in the autum of 1999.

Many people associate Malmö with Kvarteret Korpen as it was portrayed in Bo Widerberg's famous film of the same name, and for many years television viewers had pictures of Malmö served to them by the popular producer Lasse Holmqvist. Other people of an earlier generation perhaps cast their minds back to Edvard Persson, the chubby and tranquil actor who embellished many an evening at cinemas from Scania in the south to Lappland in the north and is still to be seen in matiné films on TV. He stood on a Malmö revue-stage singing about palaces and mansions and extolling life in Scania in the best of all worlds.

But then what happened, and how are things today? Widerberg, Persson, Holmqvist and others are no longer with us, and we have an ethnic diversity which puts the tower of Babylon in the shade. The author Fritjof Nilsson Piraten no longer sits in his favourite restaurant enjoying the pleasures of the table and regaling his listeners with his tall tales; and Sten Broman the musical genius no longer sweeps in wearing one of his extravagantly colourful suits for a moment's culinary refreshment.

We are living somewhat dazedly in a new millennium, and Malmö has become a bridgehead in the new Öresund region, which has enhanced the importance of southern Sweden. Professor Jan Annerstedt of the Copenhagen School of Economics has declared that the region could become a new Singapore for Northern Europe. The new region is quite as big and has good prospects of developing into a centre for countries such as Poland and Germany. A multi-million market now embraces Malmö-Lund and their surroundings, crosses the Öresund Bridge to Copenhagen and then branches out to include the other cities of Denmark. Jylland and the European mainland are now quickly reached via the bridge across the Great Belt, unless one prefers the ferry routes to the south towards the German ports.

It will probably not be too long before available technology and know-how are used to build bridges between Germany and Denmark. It is all a question of finance and the degree of interest the Germans have in travelling northwards. A plan to build a bridge across the Fehmarn Belt has for long had the backing of a political majority in Schleswig-Holstein, while the city of Hamburg applauds new communication links and sings the praises of the port and its world-wide connections. Denmark has announced its intention of supporting a proposal for a permanent link across the Fehmarn Belt. Malmö politician Ilmar Reepalu recently spoke about engendering the idea of stressing the advantages of a permanent continental link, and recent German market studies show that there is enormous interest in travellling to Sweden and Scandinavia. A closer look at the Germans' dream of travelling to and within Sweden shows that it includes Scania and to some extent also Småland, while a small percentage wish to see the midnight sun in Lappland and visit areas where reindeer antlers and other exotic things can be bought. The Swedish law of general easement or right of way is common knowledge on the Continent and is one of our many attractions.

If one overlooks a few minor complications, such as certain differences in laws and regulations which can either help or hinder, these are great times for long-distance commuters. But working groups have been formed to make life easier for commuters. State authorities have undertaken to remove everyday obstacles for the two thousand people who commute across the Sound daily. Investigations show that the present building boom in Scania is attracting Danes to the Swedish side of the Sound; and while the people of Copenhagen are finding it increasingly difficult to find reasonably priced apartments, Copen-

hagen's new "Scanian suburbs" are being developed as never before. The chief attraction is that rents for Swedish dwellings are considerably lower than the Danish, and moreover it has been calculated that a Danish couple with an academic background can halve their dwelling costs by moving to Malmö. The ten Swedish cities closest to the Öresund Bridge are jointly building most in the entire country, and are offering a choice of flats and houses which, as far as costs are concerned, brings a sparkle to the eyes of Danes who are looking for dwellings. In other words, bridge traffic in both directions will be lively as there are different attractions on both sides of the Sound.

Needless to say, different kinds of social clashes will be unavoidable. Take the question of language for instance. Swedish as spoken in Scania and Danish are two quite different languages as was discovered by the people responsible for security matters when the bridge was to be opened. The original intention was that English (!) was to be spoken both by Swedes and Danes so as to increase train safety. It was later decided that it would be acceptable if both spoke their respective languages distinctly, and the instructions stipulated that the speakers were to speak slowly and clearly and keep as close as possible to the literary or written language. Too broad dialects were to be avoided. These recommendations could possibly lead to a coalescence into a new language within a few decades, in which case the historical circle would be closed. Malmöites and the people of Scania in general can understand Danish when it is used to discuss the prices of goods in Swedish shops. Scanian pressure groups and other interested parties have for years called for Danish to be introduced as a compulsary subject in schools. Similar voices are now also heard in Denmark, and the Danish Chamber of Commerce is urging the government to increase the number of hours devoted to teaching Swedish.

Director of Communications Ebbe Jensen says that "Language will play a decisive part in future Danish-Swedish trade". In his opinion it is not good enough to understand 90% of Swedish, as it is the remaining 10% that could lead to misunderstandings. We simply cannot afford cultural obstacles, and what we are now in the process of creating–the Öresund Region–will without doubt be a success.

A multi-cultural city

Following the blossoming of the Swedish welfare state, when everything appeared to run like clockwork, a chilly fog swept in across Malmö and its surroundings. In the wake of the good years unemployment appeared like a grinning spectre which got its claws into everything and everyone, and the reliable welfare state was no longer to be taken for granted. In Rosengård and other suburban areas with many immigrants a hundred-odd languages are spoken and the rate of unemployment is alarmingly high. Crime figures too are far too high and personal safety is frequently abused.

In the market at Möllevångstorget it is obviously quite easy to cross ethnic boundaries. The stands offer foodstuffs from all quarters of the globe in a variety that is unique in Sweden. It is here that the truth in the claim that if you have seen Malmö you have seen the world is borne out, albeit in a rather different way than was intended when the words were printed on the famous postcard. Vegetables of every conceivable kind are to be found here, and the whole market is a symphony of fragrant smells where customers wander round picking and choosing between all the basic necessities and delicacies on offer. The market is particularly colourful and lively at the end of the week when hordes of immigrants living in Malmö do their shopping. There is a constant stream of people from the high-rise apartment blocks of Rosengård and other nearby parts of the city who appreciate the wide selection of goods on sale at the market. Trade is lively to say the least, and it is slightly un-Swedish when customers haggle over prices. It is perhaps this that distinguishes present-day trading at Möllervång Market from that of earlier days when farmers from surrounding areas came to town once or twice a week with cartloads of fresh fruit and vegetables.

Malmö has now risen like a mythical phoenix, if not from the ashes, at least from the passivity which followed in the wake of the collapse of the so-called champagne economy and the subsequent recession. The University of Malmö has moved into premises not very far from the place in the harbour where the enormous Kockum crane rises to the skies. The facilities concentrated around or on University Holm include the library, art and communications, Gäddan 7 and 8, which are large teaching centres, a café, a student union office and the administration section. Technical and social subjects are taught at Kranen. Administration is housed in Tornhuset, and the student union building is at Kungsparken. The growing student body will promote a favourable transformation to a better-educated society. Malmö's and Sweden's most modern residential area is under construction near the sandy shore in the south-western part of West Harbour, and Bo01, the European House and Home Exhibition, will at long last bring order to this desolate area. It is estimated that between May and September 2001 more than a million people will visit the exhibition. The city of Malmö has set aside SEK 485 million to build a harbour, roads, conduits and other installations to prepare the ground and area for the awaited building boom. A group of contractors have decided to build 522 apartments in the area and others are waiting their turn. There is space altogether for a further 500 flats. When Saab's ultra-modern car plant was built in the area it was naturally thought that it would dominate the scene for ever, but time and the recession dictated otherwise, and the abandoned car plant was instead turned into exhibition premises of great adaptability and potential.

So Malmö is not only "broen" (the bridge) as it is called in the vernacular. The atmosphere in the whole region is living, vibrant and rewarding in many different ways. Perhaps it could be defined as small town life in a big town setting. Spring is an idyllic time when everything bursts into flower in places like Gullviksborg and Bellvue, Kroksbäck and Lindeborg. When laburnum and lilac are in bloom it is a pleasure to cycle along the Limhamn road out towards Ribersborgsbadet when the sun glistening on Öresund sheds its gold on the windows of highrise buildings and exclusive villas alike.

In brief, Malmö is much more than the casual visitor might think it is. Pause awhile and then walk from Stortorget across Gustav Adolf's Square to Triangeln and you will be immersed in a welter of activity and smells, with here and there restaurants of most sorts and sizes and other places making tempting offers.

One year after the visit of Carl von Linné, Carl Christofer Gjörwell wrote: "Malmö is much livlier than other towns in Scania, and has moreover a strong air of being a foreign city", and this is still the case in the first year of the new millennium!

Malmö is a city to take to your heart, and should love not strike like a bolt of lightning, I can guarantee it will burgeon if given enough time. Malmöites are charming people when one gets to know them; they give and take with a smile but are not easily impressed. There is perhaps a certain reserve for those who do not speak the local dialect but this soon passes. Altogether it must be said that Malmö is a friendly city where one can hurry at leisure without losing touch with reality. Even though it is not admitted outright people are glad if the attention of the outside world now focuses on the city and region, and that faraway Stockholm perhaps has fewer feathers in its cap than before. And–to quote the Copenhagen newspaper *Berlingske Tidende* of August 1999: "Asia doesn't begin in Malmö–but on the other hand, something of an adventure does". Could it be expressed better?

A look at Malmö's history

If one studies the history of Scania and Malmö from tranquil Österlen it is easy to be alarmed. It is a story of devastation, plunder, murder and burning on a scale which turns the thoughts to the present-day Balkan countries. The Danes have attacked and the Swedes retaliated in kind. The Danes sought revenge, the Swedes struck back. Armies have come and gone, shot, and laid waste by fire, besieged and raped, impaled and in general behaved in a barbarous fashion.

A burnt earth policy was occasionally resorted to, hostages taken, and peasants and others hanged if they disobeyed orders. Clearly Scania has suffered enormously from war and strife over the centuries, and as always the ordinary people bore the brunt of it all.

The place where present-day Malmö stands was in ancient times the site of two Malmös–Upper and Lower Malmö. Upper Malmö was a church village which was first mentioned in the 12th century and is thought to have existed until the 15th century. Lower Malmö, from which today's fine city emerged, saw its beginnings in the 13th century. Malmö was first mentioned in written records in *Necrologium Lundense*. This was in 1170 when the Skanör peninsula was thriving. Herring fishing was at its peak, but in the late Middle Ages this industry gradually moved to Malmö. It has been estimated that more than 30 000 people were directly or indirectly engaged in this rewarding industry. In contemporary records one can read that "It is occasionally the case that the whole Sound is so chock-full of herring shoals that the boats are hemmed in so tightly they can barely be moved with the help of the oars and the fish can be caught without the help of nets. They are simply taken with the bare hands".

The sea's glistening silver bounty attracted traders and others from near and far to the Scania market which was held every year between 24 August and 9 October. This was a matchless spectacle which drew 80 000 people to trade and take part in the accompanying festivities and it would make today's Scania market look like a mere shadow. In former days entertainers and jesters were brought in from other places, and in 1267 a ship left Rostock with 40 prostitutes on board destined for the fair. Sad to say it foundered and sank taking all the women with it. The priesthood saw the tragedy as an answer to their prayers and said it was God's revenge on those who incited to sin. History has nothing to say about what the prospective clients had to say about it. They possibly had to make do with the local talent and one more tankard of frothing ale.

Malmö was first mentioned in a charter drawn up in 1275, and it was Bishop Peder of Roskilde who waived the duty on journies made to Malmö by his subjects. The freemen of Malmö enjoyed the same privilege when they sailed to Copenhagen.

Momentous events were now in progress. The

took everything they could lay their hands on and carry off.

One might say that culture came to Malmö in 1406, as it was then that Pope Innocent VII permitted the people of Malmö to found a school. This was later to be known as Malmö Grammar School. King Erik gave the mayor of Malmö the right to wear a golden chain of office in 1429. But more unrest was in the offing, and in 1434 King Erik called upon the people to build defence establishments and a wall around the town. This marked the founding of the oldest version of Malmöhus Fort. Erik of Pomerania gave Malmö a new coat-of-arms in 1437, "a red griffin with red neck and ears the crown surmounted by a red and white plume of ostrich feathers". This incidentally is thought to be the oldest coat-of-arms extant. Copenhagen became the capital of Denmark in 1445 and two years later Malmö was granted its second charter by King Christopher. The first by Christopher was promulgated in 1440.

Led by Karl Knutsson Bonde the Swedes devastated Scania and Halland in 1452. Vä and Lund were razed but Malmö was valiantly defended and in a comprehensive charter was given the status of a borough. The University of Copenhagen was founded in 1479, a date to remember now that research and education are being interwoven in the region. A Franciscan monastery was inaugurated in the city ten years later. In 1493 King Hans gave the freemen of Malmö permission to sail out and bargain with the owners of foreign ships in the Sound.

The 16th century was fraught with conflict, and Kristian II entered the scene on the death of King Hans. When he was deposed and had fled to the Netherlands a civil war broke out. Malmö and Copenhagen sided with him but were finally forced to capitulate and in 1523 Fredrik I assumed the Danish throne. The towns benefitted from this even though they had previously supported the old king. A new era with fresh power struggles began and civil war broke out in Denmark. Kristian III, who was a Lutheran, marched into a sacked Copenhagen and imprisoned all the Catholic bishops. The Reformation was introduced in Denmark in 1536.

In 1500 Malmö was Denmark's second largest city. Another war between Denmark and Sweden broke out six years later. Indecisive peace talks were held in Malmö and King Hans forbade the freemen of Malmö to visit each other's markets. Peace bet-

foundations of the Church of St. Petri, a magnificent temple in the German style, were laid in 1300. Eighteen years later the Swedes allied themselves to the Scanian bishop and sacked and burned, but Malmö, Lund and Skanör purchased exemption at enormous cost. One year earlier Christopher II had returned to Denmark and the first German guild of merchants in Denmark was founded in Malmö. In 1332 Magnus Eriksson was crowned king of Scania at St. Libers mound after having bought Scania and Blekinge from the Holstein pledgee for 34 000 Marks in silver, a sum which today would be the equivalent of many lovely millions.

Scania was devastated not only by war. In 1349 the Black Death struck and took an enormous toll, many communities being virtually wiped out. In 1360 Valdemar promulgated charters for Scanian towns including one for Malmö. In 1390 the so-called Vitalie Brotherhood attacked Malmö and Helsingborg. These were pirates of the basest kind, who raided laden ships that entered Öresund. When there were no ships to plunder they went ashore and ween Sweden and Denmark was proclaimed in Malmö 23 April 1512. In 1518 the forceful Jörgen Kock was appointed royal mint-master in Malmö where coins for the whole of Denmark were minted. Kock, who was a Westphalian and born at the end of the 1480s, was married to the widow of a wealthy clothier. He was an influential man and had the ear of Kristian II, who was regarded as a tyrant in Stockholm and just the opposite in Denmark.

After serving as mint-master Kock became the mayor, the most eminent the city had ever had. Stortorget was built during his term of office and under his direction. He was a subtle character who knew how to tread warily between the different power groups and was skilled at deporting himself in grand style. When Kock was out and about in town he was anything but alone or discreet. He was accompanied by a large retinue: one man carried his heraldic sword, two more his halberd and another his harquebus. Needless to say this annoyed many of the city's freemen, but this doubtless evaporated when Kock made a large donation to help schoolchildren and the poor, the biggest in the history of Malmö. The gift together with further donations made by him were so enormous that, with the interest they accrued, they lasted well into the 19th century.

The nobility rebelled against Kristian in 1523 and with the help of Swedish soldiers succeeded in conquering the whole of Denmark. Only Copenhagen and Malmö went free. In Sweden Gustav Vasa was crowned king, and in 1524 the gates of Malmö were opened to Fredrik's people. A meeting of the kings in a Malmö monastery forced the Swedes to evacuate Gotland and Blekinge and the Malmö recess was signed. A desperate attempt to restore Kristian II to the throne was made by a nobleman named Sören Norby, who was the liege lord of Gotland. Malmöhus was made a province in 1526, and Jörgen Kock moved from Malmöhus to a house at Stortorget. This was also a big year for the herring industry and 7 500 boats harvested the sea's bounty. Martin Luther's doctrines were expounded in a derelict chapel at Pildammarna in Malmö by a young theologian named Claus Mortensen and Hans Spandemager, and what today would be called a revival was born. Mortensen later became Malmö's first Protestant rector. A new order for divine services was printed in Malmö and many churches were taken over by the Lutherans. The incumbent priests and monks were dispelled at the point of the sword.

Fredrik I died in 1533 and Kristian III was crowned king. The following year an insurrection with religious undertones broke out between the bishop in Lund and the freemen of Malmö. The latter stormed Malmöhus and took the commandant prisoner. Ships from Lybeck blockaded the channel between Scania and Själland and Malmö and Copenhagen fell to the Lybeckians. Malmö capitulated in 1536. Jörgen Kock got away with his life, but he was dismissed from his post; the Mint itself was closed and Malmö was no longer a place of coinage. The civil war in Denmark ended. Work started on building a new Malmöhus and was finished in 1542. Four years later the old town hall was demolished and a new one built.

The Nordic Seven Years' war broke out in 1563, and the Danes attacked and took Älvsborg. In 1599 the dreaded plague struck in the area. About 16 000 people died in Copenhagen, the population of Malmö was severely hit, and all the grammar school teachers and most of the pupils died. Malmö had a population of 5 000 in 1600. Peace between Sweden and Denmark was proclaimed at Knäred in 1613 and Sweden was granted exemption from paying duty in Öresund. When the freemen of Malmö complained about the competition from Trelleborg the king rescinded the town's municipal rights. Kristian IV did not agree with the exemption from duty in Öresund enjoyed by the Swedes and that privilege too disappeared without further ado.

These privileges were to be restored, however, and were back in force in 1644. Jylland was occupied by the Swedes. Gustaf Horn attacked with 11 000 men and captured Lund, Landskrona and Helsingborg; only Kristianstad and Malmö held out. During a naval encounter between the Danish and Swedish fleets the king lost an eye but stayed valiantly at his post aboard the royal ship. In an effort to alleviate the effects of the war to some extent the freemen of Malmö were granted a ten-year respite from paying taxes, duties and excise charges.

Quite by chance Gustaf Horn escaped when a big Danish army attacked in 1645. The Swedes annihilated the Danish fleet and the Peace of Brömsebro was signed on 13 August. Exemption from duty in Öresund was now restored and Sweden became a leading Nordic nation.

The renowned march across the ice of the Small

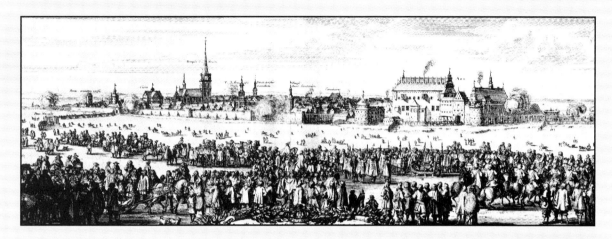

and Great Belts took place in 1658. Peace was de-
clared at Roskilde and Frederik III invited his van-
quisher Karl X Gustaf to a sumptuous feast at Fre-
deriksborg Palace, the merry-makers drinking no fe-
wer than 8 000 bottles of wine! In March Karl Gus-
taf made his triumphal march into Malmö, and de-
spite the big feast, Karl X Gustaf attacked Denmark
without first declaring war with the intention of ta-
king the entire country. The freemen of Malmö wor-
ked hard to get Danish troops to take Malmö–this
was the so-called Malmö Conspiracy. Those invol-
ved in it were later betrayed and taken prisoner and
four of them were sentenced to death. Peace betwe-
en Sweden and Denmark was restored in 1660.

At Lund on 4 December 1676 Karl XI won a nar-
row victory over the Danes in one of the bloodiest
battles in European history. On the battle field out-
side the town the Swedes gathered up 8 993 bodies
of both Danes and Swedes in an appalling mixture.
Malmö was besieged twice in the same year by the
Danes, and freebooters stole the entire Swedish war
chest amounting to 50 000 silver dollars.

The Danes besieged Malmö yet again in 1677 and
on 25 June an attempt was made to storm the city. In
the same year Karl XI ordered that all members
of the nobility be forcibly removed to old Sweden.
Those who fled to Copenhagen were sentenced to
death.

The Swedish army was expelled from Pomerania
in 1678 and 4 000 soldiers and their families were
shipped home to Sweden, but 1 500 were drowned
when the ships were caught in a storm off of Born-
holm. The Scanian nobleman Jörgen Krabbe, who
had been found guilty of treason, faced the firing
squad at Stortorget in Malmö. Peace between Swe-

den and Denmark was declared at Lund in 1679.
Swedish law was introduced in 1682 and this mar-
ked the beginning of an intensive campaign to Swe-
dify old Danish territory. A stick and carrot policy
was used, and this included everything from the
threat of using violence to the putting of ABC-books
in the hands of the children. Scania ceased to be a ge-
neral governorship in 1693 and became a Swedish
province.

Under the terms of the Peace of Roskilde the Sca-
nians had received assurances that they would be al-
lowed to retain their Danish laws and customs. This
assurance was repeated on several occasions but was
belied in reality. The Swedification led to much com-
plaining but after a couple of generations the battle
was won and the former Danish provinces reorien-
tated–in the historial perspective this was one of the
speediest transformations of its kind.

The Danes ceased trying to regain Scania after
1710. Denmark was weak and impoverished and the
Swedish transformation policy celebrated its succes-
ses in the higher levels of society; the peasants were
never asked what they thought about it and simply
had to accept the various injunctions as and when is-
sued. The remainder of the 18th century was by and
large a time of peace. The upheaval of the Napoleo-
nic era on the Continent affected Scania only margi-
nally. Early in 1805 Sweden became one of the great
powers which formed a union against Napoleon.
Swedish troops mustered in Scania and King Gustav
IV Adolf decided to set up his residence in Malmö.

In 1807 the English started a military campaign
against Denmark to prevent the Danes from joining
force with Napeleon. Copenhagen was bombarded
and the Danish fleet fell into English hands. Additio-

nally it was proposed that 15 000 English soldiers should be stationed in Scania in readiness for a campaign against Själland, but after a certain amount of hesitation the Swedish government declined this proposal.

The outcome of the English action was that Denmark and Norway joined forces with Napoleon while Sweden remained with the English. At this juncture a French army corps under the command of Marshal Jean Baptiste Bernadotte invaded Holstein. There were also plans for a joint Franco-Danish military expedition against Scania but these came to nothing. Fate willed differently. Due to a string of singular events in Paris Bernadotte was persuaded to become the king of Sweden, and he landed at Helsingborg on 20 October 1810 as crown prince. But that, as the saying goes, is another story.

To ward off external attacks it was decided to form and equip a militia comprising 30 000 men aged from 18 to 25. Scania raised five battalions of 2 600 men, but there were insufficient uniforms and equipment for all. The 75 men provided by Malmö were fitted out by the city, and this was basically just a coat of white coarse woollen cloth with a blue collar. The soldiers wore their own wooden-soled shoes and were armed with English small-bore rifles.

The army was of no real significance as a defence force. The young soldiers had a very rough time and many died of illness, starvation and privation. In 1811 it was decreed that the force be strengthened by a further 15 000 men, but this led to great unrest in the rural areas of Scania where people still recalled the horrors suffered by the militiamen. Protests were lodged with the relevant authorities and there were several major public demonstrations, including one in Helsingborg in the summer of 1811. Another conspicuous rally took place at Klågerup a few days after the Helsingborg conscription. More than 1 200 farmers and farm-hands gathered at Klågerup Manor and made life difficult for among others the priests and magistrates. The commandant of the Malmö garrison, Major-General Hampus Mörner, dispatched a force of 150 men including 40 mounted hussars and 2 cannon to quell the rebels. The situation was ugly, somebody in the peasant band fired a shot which was answered by the cannon. When the hussars later charged with weapons drawn, over 30 of the protesters were killed and a couple of hundred were later arrested. They were imprisoned in Mal-

möhus Palace where they were subjected to harsh treatment. A third of them died from illness and starvation. A few months later the survivors were sentenced to severe punishment and three were executed.

New times in the offing. A harbour installation was built in Malmö and trade with the outside world could be resumed. The population increased with the arrival of the railway and Malmö became the economic centre of southern Sweden. From 5 000 inhabitants in the 18th century the population rose to 13 000 by 1850, and to over 100 000 by the beginning of the 20th century. Industrialization got into its stride, the city grew and Malmö assumed its position as Sweden's third largest city after Stockholm and Gothenburg. Kockum Shipyard was the pride of the city and in the 1970s was the largest in the world as regards launched tonnage.

Malmö is now in a strong transitional phase. The days of heavy industry and shipbuilding are gone, and the most important business sectors are based on small industry, commerce and services where 97% of the firms have fewer than ten employees. There are thought to be 8 800 companies, of which 1 100 are manufacturers and 1 600 in wholesale trade. The aim is now to make Malmö a so-called knowledge city spearheaded by the university. Future prospects are definitely very promising and embrace many different sectors.

The composition of the population of Malmö is different from what it was twenty or thirty years ago; families with big incomes have moved to surrounding districts and great numbers of foreigners are moving in. Youngsters from the towns and cities in Sweden are now moving to Malmö, not least the children of those who left in the 1970s.

Unemployment, less income from tax revenues and increasing medical, social and related costs led to Malmö's finding itself in a difficult situation with big budget deficiencies in the mid 1980s. Economic balance was restored, however, and the city was able to replenish its treasury. There is no doubt that the new Öresund link has made a healthy contribution to the prevailing air of optimism in the Malmö region today. The age-old dream of a permanent link across Öresund has now been realized presenting a host of new opportunities. A joint Danish-Swedish market for trade and industry, housing and work, culture, education and research is being devloped. The integrated urban region of Copenhagen-Malmö-Lund with a population exceeding two million will have the finest infrastructure in the whole of Northern Europe.

The above recapitulation of events in history and the field of trade and industry aims to do no more than give a bare outline of events in bygone days and developments in more recent times. But this presentation of dates and events might even so give a picture of Malmö which has been ruled by the Danes, the business tycoons of the Hanseatic era and the Swedes. It can safely be said that the country that governed Malmö governed Scania, but strangely enough Malmö itself was never actually conquered and plundered in the normal sense. This shows that its people have always had a special brand of endurance, and have also usually had fate and good luck on their side.

A stroll around the city

An ideal and strategically placed starting-point for a walk around Malmö is the impressive statue of Karl X Gustaf on horseback at Stortorget. It will be an easy one and there will be no hills or slopes to tire walkers. Malmö is a flat city and the difference in the various levels is said to be 10 metres compared to 90 metres in Lund. It was this very square with its fountain that Carl von Linné paced out, 200 paces square, and praised as one of the finest in the country. From this point one can see a lot to arouse the interest as well as much of historic importance: Stortorget, Lilla Torget and the shopping mall which leads to Gustav Adolf's Square. Stand up straight and look in the other direction towards the harbour and with a little goodwill you can see the glittering waves of Öresund. But the bridge will not be in sight as it lies quite a bit to the south at Lernacken.

If we stay at Stortorget it is the architecture that attracts most attention. Here and in the adjoining blocks there are several well-preserved buildings dating from the Middle Ages to study, including St. Petri Church, an impressive temple built in the Baltic brick Gothic style, which is celebrating its 700th anniversary and is having several of the decorations and plaster-paintings in the Krämar Chapel restored. Malmö Town Hall, built in the stepped gable style and with cellar vaults from the 16th century, was extensively rebuilt in the 1860s. Other famous buildings surrounding the square are the official residence of the provincial governor, Kock's House, the renowned Hotel Kramer, the closely packed commercial and office buildings, Lejonet Apothecary with its imposing facade and the alley leading to Lilla Torg with its cultural and culinary attractions.

It is easy to be drawn to Kock's House where that imposing figure Jörgen Kock resided. The house was first owned by Margareta Stangi's daughter, the widow of a freeman in Lund. Ownership of the ground on which it stands was later transferred to a son, Peder Henricsson, who shortly after in turn donated it to Mariaklostret in Sorö and became a monk himself. Abbot Hinrick then leased it to Casper wan Cassel in 1479, and Jörgen Kock bought it from the abbot in 1522. The house is built in the late Gothic style, elaborately ornamented and from the corner of Väster- and Frans Suell-streets one can see a small statue of the Virgin Mary with the Infant Saviour in her arms. Anyone carrying binoculars can pick out many fascinating ornaments on the façade of Kock's House. There is a first-class restaurant in the cellar vaults with fare to satisfy the most fastidious palates.

A few short steps along Frans Suell street brings one to a statue of the man himself in front of Dringenbergska Gården whose history dates back to the earliest days of the city. There are remains of a mid-13th century church in the cellar. The house was originally built for Henrik Dringenberg who was a Danish mint-master and bailiff in Malmö in the 1400s.

With a keen and contented look Frans Suell gazes out towards Öresund. He lived 1744–1817 and

apart from being a highly influential business man and industrialist was a prime mover in the city's development. It was he who saw to it that Malmö got a modern harbour; and he also set up sugar and clothing factories and invested in the tobacco industry. Suell's successes have had a profound effect on the commercial life of Malmö. The fortune he left was used by his son-in-law Henrik Kockum to found the Kockum Engineering Co which in time was to become a world leader in shipbuilding.

The 140-metre high Kockum crane, which can be seen from all parts of Malmö, is a reminder of this successful period in the city's industrial history. It was constructed in 1974 but has stood idle for years awaiting a decision about its eventual fate. According to a bid made in the autumn of 1999 Chinese buyers intend to dismantle it and ship it to a shipyard in the Far East. Whatever happens to it there is no doubt that when it finally disappears it will be missed by many people who regarded it as a symbol of Malmö's industrial era.

When Crown Princess Victoria gave Denmark's Crown Prince Frederik a warm hug on the bridge link across Öresund in August 1999, she maintained a royal tradition by visiting the capital of Scania. There are many mementos of previous royal visits to Malmö, such as the signature of Oscar II on a block of stone in the harbour and the room at the residence where Karl XV died. A somewhat happier reminder of a royal visit is a silver plaque in the art nouveau lift of Bikupan House, commemorating the fact that the three Nordic kings used the lift in conjunction with a meeting convened by Gustav V.

In this way the memory of great events is preserved. A ride in a lift by three kings warrants a special commemorative silver plaque. The memorable meeting took place on 18 and 19 December 1914 between Gustav V of Sweden, Håkon VII of Norway, Kristian X of Denmark and their respective foreign ministers. The purpose of the meeting was to express the joint wish of the Nordic countries to remain neutral during the First World War and it was widely covered by the press. Dr Carl Herslow of the Syd-svenska Dagbladet newspaper was particularly well informed since Kristian X of Denmark stayed in his apartment. Herslow was an influential Malmöite with many and varied interests. He was the parliamentary speaker, a local politician, a first-rate economist and a publicist. He founded Sydsvenskan in 1870 and amalgamated it with Cronholmska Snällposten the following year. He was active until a very old age and was 96 when he died in 1933. Sweden's present royal couple, King Carl XVI Gustaf and Queen Silvia, have also visited Malmö, one occasion being when they attended the Grand Ball of the Order of the Amaranth in 1977. The then provincial Governor Nils Hörjel had the pleasure of leading Queen Silvia in the first dance in the festively decorated Knut Hall. During the same visit the royal couple were also made Honorary Fire Chief of the Malmö Fire Service, a traditional gesture usually extended to top stars and celebrities.

If we leave the old part of Malmö city within the canal and look towards Malmöhus and the moats we approach a very important part of the city and its history. Malmöhus is the oldest preserved Renaissance palace in the Nordic countries, and it was here that the kings lived during their visits to Malmö. Variously a defensive establishment, royal dwelling, notorious prison to name a few of its uses.

In this connection a key part was played by Erik of Pomerania who as early as the 15th century built what was later to be developed into the big stronghold. Remnants of the building founded by Erik still exist. Another Malmöite who held court here was Jörgen Kock, and he invited Gustav Vasa to his home when he visited Malmö in 1514.

Another historically dramatic episode was when Kristian II attempted to regain the throne after being deposed. His cause found favour among the freemen and peasantry while the nobility chose to support Fredrik I. The latter died in 1533 and the struggle for the throne grew fiercer and bloodier. Kristian III then joined the fray but was opposed by the followers of Kristian II. As always Jörgen Kock had an eye to the main chance and, knowing exactly how the wind was blowing, set a trap for Magnus Gyldenstierna the commandant of Malmöhus. Kock invited him to his home, presumably under false pretences, and promptly locked him up. The coast was then clear for the freemen to demolish the fort. After some complications had been overcome Kristian was proclaimed king and his first step was to build an im-

posing Malmöhus with moats and fortification works. Materials for this came from demolished churches and benevolent suppliers in Denmark.

Malmöhus enjoyed but a very brief heyday, four years in all, and this was during the tenure of the cavalier Frederik II 1554–1558.

For a time the fort was used as a prison where conditions were extremely harsh. Marie Stuart's third husband, the adventurous Scot James Hepburn, fourth Earl of Bothwell, was incarcerated there 1568–1573 and was then transferred to Dragsholm on Själland. When Scania came under Swedish rule the centre of power was to some extent shifted to Landskrona and the importance of Malmöhus waned. The year 1677 is worth noting, however, as it was then that the fort prevented the Danish army from taking Malmö.

In 1870, when almost 800 prisoners were under lock and key, fire broke out in the buildings. Nobody knows how many people have suffered and died in the stronghold over the years.

Malmöhus is today a very impressive museum, probably the finest in Sweden, with collections of art, handicraft, town history, archaeology and natural history. Visitors can study the prehistory of Malmö and Scania and the Middle Ages with the help of implements, weapons and household utensils unearthed by archaeologists. Furniture and paintings from the palace's heyday are exhibited in the Kungsvåning rooms, and the world's oldest working organ, built in the 15th century, can be seen in Skovgaard's Room. The art museum has one of Sweden's largest collections of 20th Century Nordic art including paintings by Carl Fredrik Hill, Carl Reutersvärd, Max Walter Svanberg, Torsten Andersson and Gunnar Norrman. The collections also include an extraordinary portrait by the 18th century artist Alexander Roslin.

Incidentally, Roslin, who painted the well-known "Veiled Lady", was born in Malmö at Hamngatan 4. This brings us back to the city within the canal. The Savoy Hotel is a palatial building designed by Frans Ekelund in the Viennese art nouveau style. Generations of Malmöites and visitors have enjoyed the delights of the Scanian cuisine at the Savoy.

Kompanihuset from the 1520s, which originally housed Danska Handelskompaniet, is situated behind the Town Hall. Lilla Torg was built when the city's increasing commerce outgrew Stortorget. Fax-

enska Gården and Ekströmska Huset can be studied here. Hedmanska Gården is an old mercantile building with architectural features dating from the 16th century, and examples of contemporary design and handicraft can be seen inside. Also well worth seeing are the buildings in the St. Gertrude city block which fortunately escaped the major demolition craze of the 1960s and consists of a collection of houses from the 16th to the 19th century and commendable for the painstaking way in which they have been restored. Thottska Huset, built in 1558, is Malmö's oldest half-timbered house.

The Central Station area is a natural starting-point for today's travellers. The station building itself dates from the 1890s and was designed by Adolf Wilhelm Ehrensvärd. Unlike the central stations of other big cities, Malmö's is a neat agglomeration of information points, a tourist bureau, currency exchange and eating places. It is also possible to buy tickets there for the theatre and other events in Malmö, Lund and Copenhagen. The big Post Office building, built in 1906 in the proud national romantic style to drawings by Ferdinand Boberg, is situated behind the Central Station. Walking on we come to Malmö Slagthus (abattoir), not at all the bloody place today as it was when built at the turn of the century. It is now an entertainment centre with a theatre, disco and restaurants. The parking facilities in the area are a great asset and are used by travellers to Copenhagen aboard Pilen and other boats.

A cultural city

Culture holds a very special place in Malmö. Spiritual needs are satisfied by a full programme of international-class events. There are music auditoria, theatres, the Concert Hall and the renowned Symphony Orchestra, which gives several première performances a year and has been nominated as a candidate for the prestigious Gramophone Award for CD Recordings. Exhibitions in the city's art galleries frequently attain a standard of the very highest order. Storan offers a full selection of opera, musicals and dance on one of the biggest stages in Europe. Bold decisions are often taken for the summer programme, as in 1999 when a very successful production of Pajazzo was staged on the piazza outside the theatre. The surrounding roads were closed to traffic so that the performances would not be disturbed, a measure which perhaps reflects Malmö's attitude to culture.

The Hippodrome Theatre in Kalendegatan celebrated its 100th anniversary of public performances in 1999. The establishment was built in the form of a circus in keeping with the vogue of the time and it has been put to many uses over the years. Circus shows, variety entertainment, religious gatherings and today a theatre once again. Malmö Dramatic Theatre is now in charge of the productions in the venerable old building, all to the delight of the Malmö audiences.

Following a good deal of indecision regarding reconstruction, Malmö now has a big library situated in Slottsparken which is really something to crow about. It was designed by the well-known Danish architect Henning Larsen, is among the biggest in Europe and can cope with 1.5 million avid readers a year. Information tehnology comes into its own here, and anything that cannot be found in print in books or magazines can be found on the library's internet and database. The shelves are stocked with 700 000 books, 1 700 magazines, 1 500 video hire films and 12 000 music CDs.

Malmö Konsthall and Rooseum have together with Malmö Art Museum put the city on the international art map. Contemporary art and modern classics are exhibited on the spacious walls and floors.

Malmö Konsthall, which was inaugurated in 1975 and will celebrate its 25th anniversary with a jubilee exhibition, is the largest in Europe and was designed by the Lund architect Klas Anselm. The big, low-ceilinged gallery has an exhibition area of 2 700 square metres with subtle ceiling lighting consisting of glazed obliquely positioned reflectors. The gallery opened with an exhibition of paintings by Edvard Munch and this was followed by a number of showings of works by world-renowned artists including van Gogh, Hill and Kandinsky. The latest season included a showing of parts of the Schyl donation and will be followed by a second exhibition of works selected from this first-class collection. The gallery also has a private auditorium seating 120 persons, as well as a well-stocked music shop and a café.

Rooseum was founded in 1988 by the Swedish art collector and financier Fredrik Roos (1951–1991). Since his death the museum has been administered by a foundation comprising Malmö City, Lill and Axel Roos and Louisiana in Denmark. Many people regard the Rooseum exhibition room as the most beautiful in Europe. The building, which was built in 1900 to house the steam turbines of the Malmö Electricity Works and later rebuilt for its present use, has a total exhibition area of 1 500 square metres in three galleries with the great turbine hall as a centrepiece. Carefully arranged exhibitions of contemporary art produced by leading international artists can be seen here, while Swedish artists are presented in big retrospective exhibitions. Rooseum also has plans to put on "mid-career" retrospective showings of the work of artists currently influencing Swedish art. Rooseum also happens to be the "strongest" art museum in the world, since an overhead crane capable of dealing with the heaviest art products and sculptres is still in place!

For the many people who are fond of cinema film shows it may be of interest to know that Sweden's very first cinema show took place in Malmö. It was on 28 June 1896 (if we disregard the press preview of the previous evening). Another big event took place on the same day, when Crown Prince Gustaf unveiled Börjeson's imposing statue of Karl X Gustaf on horseback standing in Stortorget. The throng was as heavy then as during today's Malmö Festival when people suck the succulent juices from their boiled crayfish. It would be natural to think that few people attended the first cinema show, but in fact it was a sell-out.

A journalist named Bertil Widerberg, who for many years delighted readers of the Sydsvenska newspaper with his in-depth reports on a variety of topics, wrote an account of Sweden's first film première in his interesting book *Malmö* published in 1964. The building in which it took place stood on the grounds used by the Nordic Industrial & Handicrafts Exhibition and was specially built for the purpose. The film was brought to Sweden by Axel Prior, who represented Koncertpalæt in Copenhagen. The first film was not a feature film as known today, but rather a kind of documentary or newsreel with sequences from the streets of Paris. In its first film review Sydsvenska wrote: "The most impressive scene was from Boulogne woods in which women and men cyclists rode up to the viewers in a most realistic fashion", and continued "A phonograph reproducing the sounds of the people is all that was needed to make the pictures lifelike".

Even at that stage the writer foresaw the advent of sound films. The film shows at the exhibition continued for three months and were tremendously successful. Widerberg has calculated that the 92 days which each gave 16 shows attracted 75 000 viewers, and that figure is possibly a little on the conservative side. The hall in which the film was shown was later sold to a farmer in Arrie where, stripped of its finery, it served as a barn–something for today's cineasts to bear in mind now that cinemas have simultaneous showings in colour with super sound effects.

Cultural events in Malmö attract practically a million visitors a year. If the lesser ones like amateur theatre, cinemas, musical performances and exhibitions are included the figure would easily exceed a million.

Malmö's green lungs

O ne does not have to be in Malmö very long before discovering the wonderful green open spaces close to the city centre. Kungsparken, Slottsparken and Pildammsparken are among the finest in Sweden. They present a superb setting for people who are strolling, jogging, cycling, or simply enjoying life relaxing on a blanket. The classic layout of Pildammsparken makes it unique among the parks of Northern Europe, flowers in their tens of thousands are planted along Crown Princess Margareta's floral walk every year. Queen Silvia has a rose garden here, inaugurated on her birthday in 1995. Do not be surprised if a nightingale is heard singing together with all the other birds–that is all part of the picture. People interested in studying bird life have plenty of opportunities to do so. Most of the species named in the birdbooks are to be found here, from the wagtail to the most exotic. And there is no shortage of attractions. The open air theatre gives performances practically every evening from the end of June to the middle of August, and it is here that Malmöite Jan Malmsjö entertains audiences in their thousands. Other attractions include Sinnenas Trädgård (The Gardsen of Senses), Baltiska Porten (the Baltic Gateway), Margareta's Pavilion and the granite well from the 1914 Baltic Exihibition. Many Malmöites get a special glint of pride in their eye as soon as the Baltic Exhibition is mentioned. It is said to have been the grandest and most beautiful exhibition ever arranged in the city.

In Pildammsparken the eye is fascinated by the ornamental water display. Sparkling cascades of water are jetted into the air, and those standing at a suitable angle to the sun can see a miniature rainbow over the surface of the water.

One can reach the parks easily and comfortably by water, and the excursion boats glide gently along the canal under the 18 bridges. The boat trip lasts an hour and gives trippers an excellent impression of being close to town. But hold on to your hat, especially at high tide, as there are seldom more than a few centimetres to spare when passing under certain

bridges. The *Flotten* excursion boat is very popular, since apart from the trip itsef, it offers musical entertainment, quite often troubadours and similar kinds of live music. A popular pastime is to hire a paddle boat and cruise around the canals at you own pace.

Those looking for wider views and a sight of the sea can go to Öresund Park and Scania Park. A sunset over the waves of the Sound is a sight Malmöites love, and on clear evenings in fine weather they line the beach and enjoy the sea breeze. Sadly a number of the green areas close to Öresund are to be built over, as Malmö is expanding rapidly and new suburbs are being built. On the other hand, people living in the Scania Park district with a sea view will have the most attractive flats in Sweden.

Malmö is not known as the city of parks for nothing. Raoul Wallenberg has his own memorial park with the marble sculpture *Pienza* by Staffan Nihlén. Beijers Park is Malmö's Agenda 21-park with plenty of ecological concepts and themes. Öparken at Limhamn is a great place for anglers and walkers.

Bulltofta Park is a large green area on the former

airfield, rich in plant and animal life and an eldorado for people who wish to exercise. Toftanäs, Torup's Palace, the coast-meadows of Bunkeflo, these are but a few examples of what has been done or preserved to benefit the people of Malmö. An attraction which is occasionally overlooked is the local "Grand Canyon"–the limestone quarry at Limhamn, now a disused surface-quarry, sixty metres deep and the size of 800 football pitches. There are extensive building plans for this area.

Malmö is particularly well-off as regards football grounds. Malmö Stadium has room for 32 000 supporters who willingly give a cheer for MFF, the pride of Malmö. The reconstructed Malmö Sports Ground, an old arena with room for 7 800 spectators, was reopened in 1999. Jägersro is a veritable Mecca of equestrian sports and the trotting and flat races draw big crowds when it is time for the Derby or the Hugo Åberg Memorial, the major event of the trotting season. Golfers too can find plenty of opportunities to practice their game on the numerous easily accessible courses in Scania. The catalogue of associations issued by Malmö Fritid lists no fewer than 800 clubs and associations, the majority of them in the sports sector. In addition there is Sweden's finest sports museum at Eric Perssons väg with an information centre and library covering everything from the earliest days of sports to local sports in Malmö and Scania.

Malmö in the future

The year 2 000, the first of the new millennium, will be a remarkable year for Sweden's third city and consequently for the entire region. Öresund Bridge is now a strong tie between Sweden and Denmark across the glittering water that has separated them for so long. With the completion of this permanent link, what has been a dream for over a century has been fulfilled. The cities of Malmö-Lund-Copenhagen with a total population of more than two million will now coalesce economically and culturally, and this will affect the Danish-Swedish market for trade, dwellings, employment, culture, education and research. A completely new suburb called Scanstad is to be built near to the Öresund Bridge access road. It will comprise various types of houses and dwelling forms and will be the first thing travellers see on leaving the bridge. An industrial estate too will be in full view of road users. A particularly interesting section will be the one built round the old limestone quarry, which architects and builders see as an exciting challenge.

All the new parts of Malmö will be joined together by the planned City Tunnel, a gigantic project running from Malmö Central to Lernacken by the bridge abutment. The city station will be accessible from Petribron, Slagthuset, Hjälmarekajen and the new university. A centrally located underground station is to be built at Triangeln within easy reach of shopping centres, Stadsteatern (the municipal theatre), Konsthallen (the art gallery) and University Hospital MAS, which is Malmö's largest workplace.

The eonomy is now in a new phase, established industries are disappearing or being transformed into companies with highly specialised staffs who are chiefly interested in projects and ventures in the field of information technology. Sweden's EU membership and developments in Eastern Europe present tremendous opportunities for future development and expansion. Advanced education is a well-established feature of Universitetsholmen in Malmö and the number of students will soon reach at least 15 000. The building boom at present in full swing in the Malmö area and outlying districts will benefit the entire region.

Öresund Bridge has given Malmö a new symbol and profile. The old Kockum crane which has for so long been the city's distinctive feature will probably disappear, and interest will turn to the 203.5 metre-high pylons of the new bridge. If in addition the planned Scandinavian Tower project in Hyllie with its hotel, conference and apartment facilities is realized, Malmö will have gained attractions of a completely different kind. With a maximum height of 325 metres it will be visible far and wide.

After years of stagnation, frenetic demolition work and indecision at various stages of planning and building, Malmö can now enjoy this new period of burgeoning optimism and progressiveness. The new unsophisticated lifestyle will have its chance, and the saying still holds good that those who have seen Malmö have seen the world–and had an enjoyable and rewarding visit to one of Sweden's finer and more dynamic cities.

Malmö – some facts and figures

Land area: 154 km^2
Tallest construction: The pylons of the Öresund link – 203.5 m above sea level
Population 1 January 1999: 254 904
Population per km^2: 1 633
City districts: Fosie, Centrum, Hyllie, Limhamn-Bunkeflo, Södra innerstaden, Västra innerstaden, Rosengård, Husie, Kirseberg and Oxie. Centrum has the biggest population of 33 798 and Oxie the smallest of 10 636. 44 000 people work in the town centre.
Malmöites with a foreign background:
Born outside Sweden: 54 100. Share of the population: 22%
Born in Sweden with foreign background (second generation): 30 147. Share of the population: 12%.
One parent born outside Sweden and one born in Sweden: 15 347.
Both parents born outside Sweden: 14 800.
Vacant jobs 1996: 119 170
Malmö's major employers 1997: Malmö City: 23 300, Posten Sverige AB: 2 300, Skanska Bygg AB: 1 950, State Railways: 1 750, Sydkraft AB: 1 700, National Police Board: 1 300, Telia AB: 1 300, Sydsvenska Dagbladet AB: 1 100, Arbetsmarknadsverket (Labour Market Administration): 1 000, Samhall Syd AB: 1 000.
Passengers passing through Sturup Airport 1997: 1 612 855
Malmö newspapers: Sydsvenska Dagbladet, Arbetet Nyheterna, Skånska Dagbladet, Kvällsposten.
Visitors to Öresund Exhibition Feb–Dec 1998: 286 327.
Visitors to Malmö Central Library 1997: 2 194 554
Visitors to Malmö Konsthall 1997: 176 600
Visitors to Rooseum 1997: 20 427
Visitors to Malmö museums 1997: 209 806
Attendance Malmö Music Theatre 1997–98: 169 344
Attendance Malmö Dramatic Theatre: 29 476
Attendance Scania Dance Theatre: 13 923
Attendance Malmö Symphony Orchestra concerts 1997–98: 82 090

Öresund Bridge:
This permanent railway and road connection across Öresund measures just under 16 km between Lernacken on the Swedish coast and Kastrup on the Danish side. The link consists of:
- A man-made peninsula 430 metres from the Danish coast at Kastrup.
- A 4 050 m long tunnel between the peninsula and the 4 055 m long man-made island Pepparholm.
- An elevated bridge 1 092 m long with a free span of about 490 m and a navigable passage height of 57 m.
- Access bridges to the west and east. The eastern access bridge from the Swedish coast is 3 759 m long and the western 3 014 m.

On the Swedish side traffic to and from the bridge will be via the Yttre Ringvägen motorway, which from Petersborg to Kronetorp will be 16.3 km long and include 39 flyovers.

City Tunnel:
The total length from Malmö Central to Lernacken will be 12 km. The length underground including stations will be 6,2 km. In 2005–2010 the line will be used by a total of about 300 trains in both directions per twenty-four hours. Estimated passenger frequencies will be Malmö Central 35 000, Triangeln 25 000 and Hyllie 5 500 per day.

MALMÖ – Stadt der Welt

In einer Werbekampagne vor einigen Jahren wurde der Ausdruck geschaffen: Hast du Malmö gesehen, hast du die Welt gesehen. Dieser Ausspruch über die drittgrößte Stadt Schwedens ist auf Ansichtskarten zu lesen. Ein Reklameslogan über den man lächeln kann, der aber auch zu Herzen geht. Ich möchte behaupten, je länger man in dieser Stadt weilt, desto besser gefällt sie einem. Dass es jetzt noch eine Brücke ins Ausland gibt, versieht die ganze Sache noch mit einem Goldrahmen.

Der Hauptort Schonens (Skåne) ist unbestreitbar einzigartig auf der Welt, einer schwedischen Welt, die sich in einer starken Verwandlung befindet. Einmal, am Anfang der Geschichte, lebten die Vorfahren der Malmöiten von Landwirtschaft und Heringsfischerei. Das südwestliche Schonen war über tausende von Jahren die reinste Wildnis. Die Landschaft ist ein uraltes Kulturprodukt, geprägt von der harten Arbeit von einhundertfünfzig Generationen. So wurde Malmö geschaffen, eine Stadtgründung, die sich zu einer der vornehmsten Städte Schwedens entwickeln sollte.

Der Name Malmö stammt wahrscheinlich vom Wort Malmhauger, das Sandhaufen bedeutet; und Sand gibt es genug; das sieht man in diesen Tagen, wenn dinosauriergleiche Bagger der Neuzeit neue Wege bahnen für die Verkehrsteilnehmer der Öresundbrücke. Das Malmö des Mittelalters wurde von den deutschen Seeleuten Ellenbogen genannt, wahrscheinlich nach der Form der Lommabucht. Über den Sand schrieb schon der Botaniker Carl von Linné:

Das Land auf Malmö zu war sandiger und hatte kaum anderes Geröll als nur Feuerstein, aber auch davon nur wenig. Das Meer, Dänemark und Kopenhagen konnte man fast den ganzen Weg sehen nach Westen von Malmö bis Lund.

Linné notierte einiges um Malmö auf seiner Reise durch Schonen 1749:

Malmös Speicherstadt an der westlichen Meereskante von Schonens Flachland gegenüber Kopenhagen, 4 Meilen über den Sund und sie ist eine der ansehnlichsten Städte des Reiches; hat große Häuser und breite Strassen. Der Marktplatz ist der größte im Reiche, 200 Schritte in der Länge und gleich breit, von allen Seiten mit großen Linden bepflanzt, Rosskastanien und Walnussbäumen. Auf dem Marktplatz ist gegenüber dem Corps de Guardie ein Wasserkunstwerk gebaut. Hierher wird frisches Wasser vom Pildamm geleitet, 1/2 kvart südlich der Stadt mit Hilfe von Rinnen unter der Erde durch die Gräben und von der Wasserkunst aus wird das Wasser durch ausgehöhlte Stämme in die meisten Höfe der Stadt geleitet.

Hier blühte ein reiches Gewerbe, basierend auf schwerer Industrie und Werften. Hier stand die Wiege der schwedischen Arbeiterschaft und die Sozialdemokraten regierten 66 Jahre lang ohne Unterbrechung. Hier begannen auch viele Kontinentreisen mit einer besonderen Atmosphäre auf Schiffen und Fähren. Das erste Dampfschiff, die *Caledonia*, machte ihre Jungfernfahrt 1829. Über diese Verbindung zwischen den Ländern sprach der Dichter Esaias Tegnér, als er seinen dänischen Kollegen Adam Oelenschläger bekränzte: „Die Zeit der Entzweiung ist vorbei und sie sollte nie dagewesen sein in dieser freien unendlichen Welt…"

Vielleicht machte man nur eine Fahrt mit dem großen Schiff von Skeppsbron in Malmö zur Havnegade in Kopenhagen, das nächste Ausland, das dem Reiselustigen zur Verfügung stand. Sicher können sich viele der Älteren an die Speisekarte erinnern: Schweinekotelett oder Wienerschnitzel. Noch besser wurde es auf den Schiffen, welche die großen alten ersetzten. Auf der „Örnen" (der Adler), die ihre letzte Reise 1980 machte, wurde *Scholle à la Öresund* mit Sahnechampignons in Butter gebraten oder *Kalbsfilet Oscar* serviert, d.h. Filet mit Garnelen, Spargel, Bearnaisesauce und Pommes Frites. Dazu wurde ein kühles Pilsener und ein Klarer aus beschlagenem Glas getrunken.

Muß man dazu sagen, daß es in maritimer Umgebung himmlisch gut mundete?

Als die Linie einschlief, gab es Touren von „Smörkontrollen" am äußersten Ende des Hafens zur Brauerei Tuborg, 13 K.m. außerhalb der dänischen Hauptstadt. Nach vielen verschiedenen Seetransportlösungen, kam die Ära der Flugboote, die laut Aussage des Arztes Knut Haeger in Lund: „Nur die Nieren ins kleine Becken herunterschütteln können." Die Fährlinie Limhamn–Dragör war ein anderes Bindeglied nach Dänemark.

Viele verbinden Malmö mit dem Viertel Korpen (der Rabe), so, wie es vom Regisseur Bo Widerberg in dessen berühmten Film mit gleichem Titel geschildert wird. Das Fensehpublikum ließ sich auch einige Jahre lang mit Malmöbildern von Lasse Holmqvist sättigen. Andere von älterem Kaliber denken vielleicht an Edvard Persson zurück, den rundlichen und geborgenen Schauspieler, der von Schonen im Süden, bis Lappland im Norden, viele Kinoabende vergoldete. Er lebt noch immer in den Nachmittagsfilmen. In Malmö stand er auf der Revuebühne und sang von

Schlössern und dem Leben in Schonen in der besten aller Welten.

Aber was folgte dann, wie sieht es heute aus? Weg sind Widerberg und Persson, Holmqvist und andere. Fritjof Nilsson Piraten sitzt nicht mehr in seiner Stammkneipe, genießt keine Gaumenfreuden mehr, erzählt keine Geschichten; das musikalische Genie Sten Broman kommt nicht mehr hereingeflogen, in farbenfrohem Anzug, für eine kurze kulinarischer Erquickung.

Wir leben in einem etwas verschlafenen Jahrtausend; Malmö ist der Brückenkopf der neuen Öresundsregion, die Südschweden immer größeres Gewicht gibt. Professor Jan Annerstedt von der Handelshochschule Kopenhagen, hat behauptet dass die Region ein neues Singapur für Nordeuropa werden kann.

Die Region ist genauso groß und hat gute Möglichkeiten sich zu einem Zentrum für Polen und Deutschland zu entwickeln. Jetzt umfaßt ein vielfacher Millionenmarkt Malmö-Lund mit Umgebung und reicht mit vielen Verzweigungen bis nach Kopenhagen und zu den übrigen dänischen Städten. Jütland und das europäische Festland sind nun über die Brücke über den großen Belt schnell zu erreichen, falls man nicht die Fährrouten zu den deutschen Häfen vorzieht.

Es soll übrigens nicht mehr lange dauern, bis zwischen dem deutschen und dänischen Festland Brücken gebaut werden mit der Technik und Erfahrenheit, die zu Gebote steht. Alles ist eine Frage des Geldes und wie groß das Interesse in Deutschland ist, nordwärts zu fahren. Eine Fehmarn Belt-Brücke wird schon lange von einer politischen Majorität in Schleswig Holstein bejaht. Die Stadt Hamburg unterstützt die neuen Verbindungen und wirbt für ihren

Hafen und ihre weltweite Kontakte. Dänemark hat seine Absicht erklärt, sich um eine feste Verbindung über den Fehmarn Belt zu bemühen. Der Malmöpolitiker Ilmar Reepalu hat neulich darüber gesprochen einen mentalen Prozeß zu starten, um die Vorteile einer festen Verbindung zum Kontinent zu unterstreichen. Neue Marktanalysen in Deutschland weisen darauf hin, daß es ein großes Interesse für Reisen nach Schweden und Skandinavien gibt. Sieht man sich den Schwedentraum der Deutschen genauer an, so streckt er sich bis nach Schonen und Småland. Ein kleiner Prozentsatz wünscht, bis zur Mitternachtssonne Lapplands und in Gegenden zu reisen, wo man Rentierhörner und andere exotische Produkte kaufen kann. Das schwedische Recht zum Gemeinbrauch ist auf dem Kontinent berühmt und gehört zu unserer Palette von Attraktionen.

Die Grenzpendler haben goldene Zeiten, wenn man von ein paar kleineren Komplikationen absieht. Es gibt einige Unterschiede in den Gesetzen, die mal zum Vor- und mal zum Nachteil gereichen. Es sind jedoch Arbeitsgruppen dabei, es den Pendlern leichter zu machen. Von Seiten des Staates hat man versprochen, für die zweitausend Personen, die täglich über den Sund pendeln, alltägliche Hindernisse beiseite zu räumen. Untersuchungen zeigen, daß der Bauboom in Schonen Dänen auf die schwedische Seite lockt. Während es für die Kopenhagener immer schwerer wird, Wohnungen zu erschwinglichen Preisen zu finden, werden in Schonen neue Kopenhagener Vororte gebaut, wie nie zuvor. Was vor allem lockt, sind die bedeutend niedrigeren Wohnungspreise in Schweden. Jemand hat ausgerechnet, dass ein dänisches Akademikerpaar seine Wohnkosten halbieren kann, wenn es nach Malmö zieht. Die zehn Landkreise, die am nächsten an der Öresundbrücke liegen, bauen zusammengenommen am meisten im Lande, und bieten ein Angebot, dass preismäßig in den Augen wohnungssuchender Dänen glitzert. Mit anderen Worten wird der Verkehr mit Attraktionen auf beiden Seiten lebhaft sein.

Selbstverständlich wird es auch Zusammenstöße geben, was die Kultur anbelangt. Z.B. die Sprache; schonisches Schwedisch und Dänisch sind zwei verschiedene Sprachen. Dies zeigte sich z.B. als man mit Sicherheitsfragen zur Brückenöffnung arbeitete.

Zuerst sollten die Schweden und die Dänen miteinander Englisch (!) sprechen, um die Zugsicherheit zu erhöhen. Später kam man darauf, dass es wohl

klappen würde, wenn jeder seine eigene Sprache langsam und deutlich spräche. Wer spricht, muss eine langsame, deutliche und schriftsprachennahe Sprache anwenden, sagten die Richtlinien. Eine allzu kräftige dialektale Aussprache müsse vermieden werden. Kann dieser Vorschlag mit der Zeit ein Zusammenschmelzen der Sprachen verursachen? Da wäre der historische Kreis geschlossen. Malmöer und übrige Schonen verstehen dänische Zahlwörter, wie *halvfjärds* und *halvfems* und andere Zahlwörter und Preise. Schonische Interessengruppen und andere Interessierte haben schon lange Druck gemacht, um Dänisch als Pflichtfach in den Schulen einzuführen. Auch in Dänemark wurden Stimmen in diesem Zusammenhang laut. Auch die dänische Handelskammer hat die dänische Regierung aufgerufen, den Schwedischunterricht zu erweitern.

„Die Sprache spielt eine entscheidende Rolle im zukünftigen dänisch-schwedischen Handel", sagt der Verkehrsminister Ebbe Jensen. Er meint, dass es nicht reicht Schwedisch zu 90 % zu verstehen. Die letzten 10 % können es sein, die zu Mißverständnissen führen. Kulturelle Hindernisse können wir uns einfach nicht leisten. Weil, das was wir jetzt schaffen – die Öresundsregion – endgültig ein Fortschritt werden soll.

Multikulturelle Stadt

Nach den Jahren, in denen das sog. Volksheim blühte, scheint sich ein kalter Nebel auf Malmö und Umgebung gelegt zu haben. Die Arbeitslosigkeit setzte wie ein Spuk ihre Klauen in alle und alles. Das geborgene Volksheimmodell war nicht mehr selbstverständlich. In Rosengård und anderen Vororten mit großem Ausländeranteil werden über 100 Sprachen gesprochen und die Arbeitslosigkeit ist erschreckend hoch. Die Kriminalität zeigt leider viel zu hohe Zahlen. Die private Geborgenheit ist nicht mehr so groß.

Auf dem Möllevångstorg (Marktplatz) versteht man sich anscheinend besser über die ethnischen Grenzen hinaus. Zwischen den Ständen gedeihen internationale Gerichte, zu denen es in Schweden nichts Vergleichbares gibt. Hier wird der Spruch wahr: hat man Malmö gesehen, hat man die Welt gesehen. Vielleicht etwas anders, als man sich beim Druck der berühmten Ansichtskarte gedacht hatte. Hier gibt es allerhand Gemüse, der ganze Markt ist wie eine Symphonie aus Düften, wo die Kunden zwischen den Ständen umherwandern können und unter all dem Nützlichen und Schönen im Angebot wählen können. Besonders farbig wird es am Wochenende, wenn große Scharen von Einwanderern, die in der Stadt wohnen, ihre Einkäufe tätigen. Aus den großen Mietskasernen in Rosengård und anderen nahegelegenen Stadtteilen, strömen die Menschen auf den Markt, die die Waren zu schätzen wissen. Der Handel ist sehr lebhaft, und es wird ein wenig unschwedisch, wenn um die Preise gefeilscht wird. Vielleicht ist es das, was den Handel heute von früher unterscheidet, als die Bauern aus dem Umland ein paarmal die Woche mit einer Last von frischen Früchten der Erde in die Stadt kamen.

Malmö hat sich jetzt wie der Vogel Phönix, wenn auch nicht aus der Asche, so doch aus dem Konjunkturtief erhoben. Nicht weit von der Stelle, an der sich der gewaltige Kockumskran gen Himmel erhebt, ist die Hochschule Malmö eingezogen. Sie konzentriert sich auf ein Gebiet an und auf der Universitätsinsel, wo es die Bibliothek, Kunst- und Kommunikationsabteilung, ein Café, das Corpsbüro und die Verwaltung gibt. Am Kran liegen Technik- und Gesellschaftsabteilung. Im Turmhaus ist die Verwaltung belegen. Das Corpshaus liegt im Königspark (Kungsparken). Mit blühendem Studentenkollektiv vollzieht sich der Wandel in eine Wissenschaftsgesellschaft.

Beim Sandstrand am Meer, im südwestlichen Teil des westlichen Hafens, wird das modernste Wohngebiet Schwedens gebaut, und die europäische Wohnungsmesse wird endlich Ordnung in die öde Gegend bringen. Von Mai bis September 2001 rechnet man mit mehr als einer Million Menschen, die die Ausstellung besuchen sollen. Malmö will mehr als 485 Millionen SEK für die Verbreitung des Hafens für den kommenden Bauboom ausgeben. Eine andere Firma hat sich entschlossen 522 Wohnungen auf dem Gelände zu bauen und andere sind interessiert. Es gibt Platz für 500 weitere Wohnungen. Zwar war geplant, dass Saabs stolzes Autowerk hier einziehen sollte, doch die Zeit und die Konjunktur wollten es anders. Aus dem Autowerk wurde ein Messegelände mit vielen positiven Vorzeichen.

Malmö ist also nicht nur „broen" (die Brücke), wie man im lokalen Dialekt sagt. Hier gibt es ein Leben und eine Wirklichkeit, die Generosität auf vielen Ebenen zeigt. Kleinstadtleben könnte man es nennen, Kleinstadtleben im Großstadtmilieu.

Der Frühling in Gullviksborg und Bellevue, Kroksbäck und Lindeborg ist idyllisch. In der Zeit der Goldregen und der Fliederblüte ist es eine Freude den Limhamnsweg entlang zu radeln, zum Ribersborgsbad hinaus, wenn die Sonne vom Öresund her ihre Strahlen auf den Fenstern der Hochhäuser und Prachtvillen widerspiegeln läßt.

Malmö ist, kurz gesagt, viel mehr als was der

zufällige Besucher ahnt. Hält man einen Augenblick inne, und geht vom Stortorget (Großen Platz) über den Gustav Adolfs-Platz zum Triangeln (Dreieck), trifft man auf ein Gewimmel von Leben und Düften und hier und da kleine Kneipen und Lokale mit einem verführerischen Angebot.

„In Malmö ist vieles lebendiger als in den übrigen schonischen Städten, und außerdem hat Malmö viel Flair einer ausländischen Stadt", schrieb Carl Christofer Gjörwell ein Jahr nach Carl von Linnés Besuch. Dies stimmt auch im ersten Jahr des neuen Jahrtausends noch.

Malmö muss man sich zu Herzen nehmen. Schlägt die Liebe nicht wie ein Blitz ein, wage ich zu versprechen, dass sie sprießt, falls man ihr nur genügend Zeit gibt. Die Malmöer sind gemütlich, wenn man nur an sie heran kommt; geben und nehmen mit gutem Mut, aber lassen sich nicht so leicht beeindrucken. Gewiss lässt sich ein wenig Misstrauen erahnen, wenn man keinen schonischen Dialekt spricht. Aber das ist schnell vorbei. Im Großen und Ganzen kann man sagen, dass Malmö eine freundliche Stadt ist; hier hat man Zeit, Dinge mit Ruhe zu nehmen, ohne die Sache aus dem Griff zu verlieren. Auch wenn man es nicht rund heraus sagt, freut man sich darüber, dass die Blicke der Umwelt nun auf die Stadt und die Region gerichtet sind, und dass das ferne Stockholm jetzt vielleicht nicht mehr so viele Federn im Hut hat, wie früher. Und – um die Kopenhagener Zeitung *Berlingske Tidende* im August 1999 zu zitieren: „Asien fängt nicht in Malmö an – jedoch da beginnt ein neues Abenteuer." Kann es besser gesagt werden?

Ein Blick auf die Geschichte Malmös

Wenn man von einer ruhigen Ecke auf Österlen aus über Schonen und Malmös Geschichte nachdenkt, erschrickt man leicht. Hier wurde in einem Maße geplündert, gemordet und gebrandschatz, dass es uns an den Balkan von Heute denken lässt. Die Dänen haben angegriffen, die Schweden haben sich gerächt, usw. Hier ist man kreuz und quer marschiert, hat geschossen, niedergebrannt, belagert und vergewaltigt, auf Pfähle gespießt. Zeitweise hat man die Taktik der verbrannten Erde angewandt, hat Gei-

seln genommen und Bauern oder andere, die nicht die ausgebenen Befehle beachtet haben gehängt. Man kann feststellen, daß Schonen während der Jahrhunderte schwer unter dem Krieg gelitten hat. Wie immer, wenn es zum Krieg kommt, hat der kleine Mensch schwer, furchtbar schwer zu Leiden gehabt.

An der Stelle, die wir heute als Malmö kennen, haben sich in historischer Zeit zwei Malmö befunden – das Obere und das Untere Malmö. Das obere Malmö war ein Kirchspiel, daß zum ersten Mal im 10. Jahrtausend genannt wird und mindestens bis ins 13. Jh. existiert haben soll. Das untere Malmö, aus welcher sich die heutige Stadt entwickelt hat, entstand im 11. Jh. Im *Necrologium Lundense* wird Malmö das erste Mal schriftlich er wähnt. Es war im Jahr 1170. Zu dieser Zeit stand die Halbinsel Skanör in ihrer Blüte. Die Heringsfischerei stand auf ihrem Höhepunkt, ging aber während des Mittelalters auf Malmö über. Man hat berechnet, daß 30 000 Menschen direkt oder indirekt in der einträglichen Fischerei beschäftigt waren. In einer zeitgleichen Chronik kann man folgendes lesen: „Manchmal passierte es, daß der ganze Sund so mit Heringsschwärmen gefüllt war, dass die eingepressten Schiffe kaum mit Hilfe der Ruder vorankamen und der Fisch ohne Geräte gefangen werden konnte. Man greift ihn mit den bloßen Händen".

Die silberglänzenden Gaben lockten Kaufleute von nah und fern zu den Jahrmärkten in Schonen, die jedes Jahr zwischen dem 24. August und dem 9. Oktober abgehalten wurden. Das war ein großes Spektakel, das 80 000 Menschen zum Handeln und Feiern locken konnte und die heutige Jahrmärkte in den Schatten stellt. Gerade zum Schonenmarkt wurden Schausteller und Gaukler von weit her angezogen. Im Jahr 1267 lief ein Schiff von Rostock mit 40 Freudenmädchen an Bord aus, mit dem Schonenmarkt als Ziel. Das Schiff sank jedoch und die freundlichen Damen verschwanden in der Tiefe. Die Kirche deutete die Tragödie als Antwort auf ihre Gebete und meinte Gott hätte sich an denen gerächt, die zur Sünde angestiftet hatten. Was die enttäuschten Kunden auf dem Jahrmarkt dazu sagten, darüber schweigt die Geschichte. Man musste sich wohl mit den lokalen Gegebenheiten zufrieden geben und noch einen Krug schäumendes Bier zu sich nehmen.

1275 wird Malmö zum ersten Mal in einem Freibrief als Stadt erwähnt. Es war der Bischof Peder

Nicht nur Krieg beherrschte Schonen. 1349 schlug der Pesttod zu und mähte große Scharen nieder. Viele Orte hatten fast keine Einwohner mehr. 1360 schrieb Valdemar Freibriefe für Städte in Schonen aus, darunter war auch Malmö. 1390 suchten die sog. Vitalianer Malmö und Helsingborg heim. Es waren Seeräuber der schlimmsten Sorte und sie plünderten wohlgefüllte Schiffe, die durch den Öresund kamen. Wenn es keine Schiffe gab, gingen die Räuber an Land und nahmen alles was nicht niet- und nagelfest war.

Im Jahr 1406 kann man feststellen, dass die Kultur nach Malmö gekommen ist. Da gab der Papst Innocentius VII. den Einwohnern das Recht, eine Schule einzurichten. Sie wurde später als Malmö Lateinschule bekannt. König Erik gab 1429 dem Bürgermeister das Recht, eine Goldkette zu tragen. Aber neue Zeiten der Unruhe kommen und 1434 ermahnt König Erik die Bevölkerung von Malmö Verteidigungsanlagen und Mauern um die Stadt anzulegen. Nun wird der Grundstein für die älteste Version von Schloss Malmöhus gelegt.

1437 verleiht Erich von Pommern Malmö ein neues Wappen – „ein rotes Greifenhaupt mit rotem Hals und roten Ohren und oben auf dem Kopf mit einem Straußenfedernbusch mitten auf der Krone, weiß und rot". Es soll übrigens das älteste Stadtwappen sein, dass noch heute in Gebrauch ist. 1445 wurde Kopenhagen Hauptstadt von Dänemark und zwei Jahre später bekam Malmö den zweiten Freibrief von König Kristoffer. Der erste wurde von ihm 1440 kundgetan.

1452 verwüsteten die Schweden unter Leitung von Karl Knutsson Bonde Schonen und Halland. Vä und Lund wurden niedergebrannt, aber Malmö wurde tapfer verteidigt. In einem großen Freibrief wurden Malmö die Stadtrechte verliehen. 1479 wurde die Universität Kopenhagen gegründet, ein Datum an das es sich zu erinnern gilt, jetzt wo Forschung und Ausbildung in der Region zusammengeflochten werden. Zehn Jahre später wurde das Franziskanerkloster in der Stadt eingeweiht. 1493 gab der König Hans den Bürgern von Malmö das Recht hinauszusegeln und mit fremden Handelsschiffen Geschäfte zu machen.

Das 16. Jh. war voll von Konflikten. Als König Hans starb, betrat Kristian die Szene. Als er abgesetzt wurde und nach Holland floh, brach ein Bürgerkrieg aus. Malmö und Kopenhagen nahmen Par-

in Roskilde, der seinen Untertanen Zollfreiheit bei ihren Fahrten nach Malmö gab. Die Bürger von Malmö bekamen die gleichen Rechte, wenn sie nach Kopenhagen segelten. Nun geschahen große Dinge: der Bau der Kirche Sankt Peter wurde im Jahr 1300 begonnen, nach einem Prachtbeispiel in Deutschland. Achtzehn Jahre später kämpften die Schweden an der Seite des schonischen Bischofs, plünderten und brandschatzten. Malmö, Lund und Skanör kauften sich mit großen Geldsummen frei. Ein Jahr zuvor war Kristoffer II. nach Dänemark zurückgekehrt und die erste deutsche Handelsgesellschaft in Dänemark wurde in Malmö gebildet. 1332 wurde Magnus Eriksson auf dem Sankt Libers Hügel der Treueid als König über Schonen geleistet nachdem er erst Schonen und Blekinge den holsteinischen Pfandinhabern für 34000 Mark in Silber abgekauft hatte – eine Summe, die nach heutigem Geldwert einigen hübschen Millionen entsprochen hätte.

tei für ihn, mussten aber kapitulieren und 1523 bestieg Frederik I. Dänemarks Thron. Dies gab den Städten günstige Bedingungen, obwohl sie früher für den alten König Partei genommen hatten. Eine neue Ära mit neuen Machtkämpfen, jetzt den sog. Grafenfeden, entflammte. Kristian III., der Lutheraner war, zog in ein verwüstetes Kopenhagen ein und nahm alle katholischen Bischöfe gefangen. Die Reformation wurde in Dänemark 1536 eingeführt.

1500 war Malmö Dänemarks zweitgrößte Stadt. Sechs Jahre später wurde ein neuer Krieg zwischen Dänemark und Schweden entfacht. Ein ergebnisloses Friedenstreffen wurde in Malmö abgehalten. König Hans verbot den Bürgern von Malmö und Lund deren Märkte zu besuchen. Am 23. April 1512 wurde in Malmö Frieden zwischen Dänemark und Schweden geschlossen. 1518 wurde der kraftvolle Jörgen Kock zum königlichen Münzmeister in Malmö ausersehen, wo man Münzen für ganz Dänemark prägte. Kock war Westfale, geboren Ende 1480 und verheiratet mit einer reichen Textilhändlerwitwe. Er war einflussreich und hatte gutes Ansehen bei Kristian II. (der, in Stockholm der Tyrann und in Dänemark der Milde genannt wurde.)

Nach seiner Zeit als Münzmeister, wurde Kock Bürgermeister – der brillianteste, den die Stadt je gehabt hatte. Während seiner Zeit wurde der Stortorget (Großmarkt) gebaut. Er war eine gewitzte Person, die es verstand, zwischen den Blöcken zu kreuzen und die Kunst beherrschte, Staat zu machen. Wenn Kock sich hinaus in die Stadt begab, war er alles andere als einsam und diskret. Ein ganzes Gefolge stiefelte mit: ein Mann trug sein heraldisches Schwert, zwei Mann hatten Hellebarden, und einer trug eine Arkebuse. Natürlich ärgerte die Pracht eine Menge Bürger, aber das Gerede verstummte, als Kock 1546 eine Schenkung für Schulkinder und Arme machte, die Größte in Malmös Geschichte. Die Gaben und weitere Zulagen des steinreichen Donators waren so groß, dass sie mit Zinsen bis ins 19. Jh. reichten.

1523 lehnte der Adel sich gegen Kristian auf. Der Adel von Schonen konnte, mit Hilfe von schwedischen Soldaten, ganz Dänemark besetzen. Nur Kopenhagen und Malmö wurden davon verschont. In Schweden wurde Gustav Vasa zum König gewählt. 1524 öffnete Malmö die Tore für die Leute von Frederik I. Bei einem Königstreffen in einem Kloster in Malmö wurden die Schweden gezwungen, Gotland

und Blekinge zu räumen. Malmös Recess wurde unterschrieben. Der ritterliche Sören Norby, Landeshauptmann auf Gotland, machte einen verzweifelten Versuch Kristian II. wieder auf den Thron zu setzen. Das Malmöhus Län (ung. Land Malmö) wurde 1526 gegründet. Jörgen Kock zog vom Schloß Malmöhus in ein Haus am Stortorget. Es war auch ein großes Heringsjahr – 7500 Boote ernteten die Gaben des Meeres. In einer verfallenen Kapelle bei den Pildammarna (Weidenteiche) predigten die jungen Theologen Claus Mortensen und Hans Spandemager Martin Luthers Lehren. Es entstand, was man im modernen Sprachgebrauch eine Freikirche nennen sollte. Mortensen wurde dann Malmös erster evangelischer Pfarrer. In Malmö wurde eine neue Gottesdienstordnung gedruckt, und die Lutheraner übernahmen eine ganze Reihe von Kirchen. Priester und Mönche wurden mit Stößen und Schlägen vertrieben.

1533 starb Frederik I. und Kristian III. wurde König. Im Jahr darauf brach eine Art religiöser Aufruhr zwischen dem Bischof in Lund und den Bürgern in Malmö aus. Die Bürger stürmten Malmöhus und der Kommandant wurde gefangen genommen. Schiffe aus Lübeck blockierten die Fahrwasser zwischen Seeland und Schonen. Malmö und Kopenhagen fielen in lübecker Hände. Jörgen Kock kam mit dem Leben davon, wurde jedoch als Münzmeister abgesetzt. Malmö hörte auf Münzort zu sein. Die Grafenfehde nahm ein Ende. Man begann den Neubau des Schlosses Malmöhus, das 1542 fertig stand. Vier Jahre später wurde ein neues Rathaus gebaut, nachdem das alte abgerissen wurde.

Der nordische Siebenjährige Krieg brach 1563 aus. Die Dänen griffen an und eroberten Älvsborg. 1599 wird die Gegend von der gefürchteten Pest heimgesucht. In Kopenhagen starben über 16000 Menschen, viele auch in Malmö, u.a. alle Lehrer und die meisten Schüler der Lateinschule.

Im Jahre 1600 hatte Malmö 5000 Einwohner. 1613 wurde zwischen Dänemark und Schweden Frieden geschlossen und Schweden die Zollfreiheit auf dem Öresund zugesichert. Als die Bürger von Malmö über die Konkurrenz von Trelleborg klagten, hob der König Trelleborgs Stadtrechte auf. Kristian IV. mochte die Zollfreiheit der Schweden im Öresund nicht, und schon verschwand diese Gunst.

Die Freiheiten sollten jedoch zurück kommen. Dies geschah 1644. Jütland wurde von den Schweden besetzt. Gustaf Horn fiel mit 11000 Mann an

und eroberte Lund, Landskrona und Helsingborg. Nur Kristianstad und Malmö hielten stand. Während einer Seeschlacht zwischen der dänischen und schwedischen Flotte verlor der König ein Auge, was ihn aber nicht davon abhielt, treu auf seinem Posten an Bord des Königsschiffes zu bleiben. Um die Schäden des Krieges etwas zu lindern, wurden Malmös Bürger zehn Jahre von Steuern, Zoll und Verbrauchssteuern befreit.

Ein Zufall wollte es, daß Gustaf Horn 1645 einem großen anfallenden dänischen Heer entkam. Die Schweden zerstörten die dänische Flotte und so kam es zum Frieden von Brömsebro am 13. August. Nun war die Zollfreiheit am Öresund wieder hergestellt und Schweden verblieb die führende nordische Nation.

1658 fand der große Marsch über das Eis des großen und kleinen Belt statt. Es kam zum Frieden von Roskilde und Frederik III. lud seinen Besieger Karl X. zu einem großen Fest auf Frederiksbergs Schloss ein- u.a. verfeierte man 8 000 Flaschen Wein! Im März hielt Karl unter Jubel und Klang seinen Einzug in Malmö. Trotz des großen Festes fiel Karl X. Dänemark ohne Kriegserklärung an, mit dem Ziel, sich das ganze Land einzuverleiben. Die Bürger in Malmö arbeiteten eifrig darauf hin, dass die dänischen Truppen Malmö einnähmen, die sog. Malmöverschwörung. Die Teilnehmer der Verschwörung wurden später verraten und ergriffen – vier von ihnen wurden zum Tode verurteilt. 1660 wurde Frieden zwischen Schweden und Dänemark geschlossen.

Am 4. Dezember 1676 gewann Karl XI. knapp über die Dänen in einer der blutigsten Schlachten in Europas Geschichte. Auf dem Schlachtfeld sammelten die Schweden 8 993 Gefallene auf den Feldern vor der Stadt ein. Schweden und Dänen in einer ungeheuren Mischung. Im selben Jahr wurde Malmö zweimal von den Dänen belagert. „Snapphähne" stahlen die ganze schwedische Kriegskasse von 5 000 Reichstalern.

1677 belagerten die Dänen wieder einmal Malmö und am 25. Juni versuchte man, die Stadt zu stürmen. Im selben Jahr befahl Karl XI., dass der ganze Adel zwangsweise ins alte Schweden umziehen sollte. Wer nach Kopenhagen flieht, wird mit dem Tode bestraft.

1678 wurde die Armee aus Pommern vertrieben und 4 000 Soldaten mit Familien wurden nach Schweden zurückgeschifft. 1 500 Menschen ertranken, als die Schiffe in einem Sturm vor Bornholm sanken. Der für Landesverrat verurteilte schonische Adlige Jörgen Krabbe wurde auf dem Stortorget in Malmö arkebussiert. 1679 wurde in Lund Frieden zwischen Schweden und Dänemark geschlossen. 1682 wurde das schwedische Gesetz eingeführt und nun begann eine intensive Kampagne, um altes dänisches Land schwedisch zu machen. Dies geschah mit dem Prinzip Mohrrübe oder Peitsche – man versuchte alles, von Gewaltandrohungen bis zu schwedischen ABC-Büchern, die man den Kindern in die Hand drückte. 1693 hörte Schonen auf, Generalgouvernement zu sein und wurde eine schwedische Landschaft.

Im Frieden von Roskilde hatte man den Schonen versprochen, dass sie ihre dänischen Gesetze und Gewohnheiten beibehalten dürften. Dieses Versprechen wurde mehrmals wiederholt, doch die Wirklichkeit sah anders aus. Es wurde viel über die Verschwedischung geklagt, aber nach ein paar Generationen war die Schlacht gewonnen und die frühere dänische

Provinz umorientiert. Historisch gesehen war dies eine der schnellsten Veränderungen ihrer Art.

Nach 1710 wurde von dänischer Seite kein Versuch mehr gemacht, Schonen zurückzuerobern. Dänemark war geschwächt und die schwedische Verwandlungspolitik feierte ihren Triumph in der oberen Gesellschaftsschicht; die Bauern wurden nicht gefragt und mussten sich den neuen Gegebenheiten fügen. Der Rest des 18. Jh. war im Großen und Ganzen eine Zeit des Friedens. Napoleons Revolutionen am Anfang des 19. Jh. berührten Schonen nur am Rande. Anfang 1805 wurde Schweden Mitglied eines Großmachtbundes gegen Kaiser Napoleon. Schwedische Truppen wurden in Malmö gesammelt und König Gustav IV. Adolf wählte Malmö zu seiner Residenz.

1807 richteten die Engländer einen Schlag gegen Dänemark, um einen Anschluss an Napoleon zu verhindern. Kopenhagen wurde bombardiert und die dänische Flotte fiel in die Hände der Engländer. Ausserdem wurde vorgeschlagen, 15 000 englische Soldaten nach Schonen zu verlegen, um später eine Operation gegen Seeland einzuleiten. Nach einigem Zögern sagte die schwedische Regierung jedoch nein zu diesem Vorschlag.

Die englischen Aktionen hatten zur Folge, dass sich Dänemark und Norwegen Napoleon anschlossen, während Schweden zu den Engländern hielt. Währenddessen rückte ein französisches Armeecorps unter Führung des französischen Marschalls Jean Baptiste Bernadotte in Holstein ein. Es gab auch Pläne eines französisch-dänischen Kriegsunternehmens gegen Schonen, aber die verliefen im Sande. Das Schicksal wollte es anders. Derselbe Bernadotte ließ sich durch eine Reihe Umstände in Paris locken, König von Schweden zu werden und stieg am 20. Oktober 1810 in Helsingborg als Kronprinz an Land. Aber das ist eine andere Geschichte.

Um äußere Anfälle abwehren zu können, beschloss man, eine Landwehr auszuschreiben und auszurüsten. Sie sollte 30 000 Mann im Alter von 18–25 Jahren umfassen. In Schonen stellte man fünf Bataillone mit 2 600 Mann auf. Aber die Lager mit Uniformen und Ausrüstung reichten nicht für alle. Die 75 Mann aus Malmö bekamen einen weissen Mantel mit blauem Kragen. An den Füßen hatten die Soldaten ihre eigenen Holzschuhe und sie wurden mit einem leichten englischen Gewehr bewaffnet.

Die Armee bekam keine eigentliche Bedeutung für die Verteidigung. Die jungen Soldaten schufteten schwer und viele starben an Krankheiten, Hunger und Entbehrungen. 1811 wurde befohlen, weitere 15 000 Mann als Verstärkung einzuziehen. Die Angelegenheit weckte große Unruhe bei der Landbevölkerung, wo man die Schrecken der Landwehr noch in starker Erinnerung hatte. Man protestierte bei den zuständigen Behörden und es kamen größere Demonstrationen vor, u.a. in Helsingborg im Sommer 1811. Eine andere Aufsehen erregende Demonstration spielte sich einige Tage nach der Helsingborgmusterung ab. Gut 1 200 Bauern und Knechte versammelten sich beim Gutshof von Klågerup und zeitweise ging man hart mit den Pfarrern und anderen Personen der Obrigkeit um. Malmös Kommandant, Hampus Mörner, rückte mit 150 Mann, davon 40 berittene Husaren und zwei Kanonen, aus, um den Aufruhr zu dämpfen. Die Stimmung war bedrohlich. Jemand aus dem Bauernheer ließ einen Schuss fallen, der mit einer Kanonensalve beantwortet wurde. Als dann die Husaren mit blanken Waffen anrückten, wurden an die dreißig Protestierende getötet und einige hundert gefangen genommen. Sie wurden zum Malmöhus Schloss gebracht und litten dort furchtbar unter der schlechten Behandlung. Ein Drittel starb an Krankheiten und Hunger. Einige Monate später wurden die Aufständischen zu strengeren Strafen verurteilt und drei von ihnen hingerichtet.

Es kamen neue Zeiten. In Malmö wurden die Hafenanlagen gebaut und man konnte wieder auf den Handel mit der Umwelt setzen. Mit der Eisenbahn begann die Bevölkerung zu wachsen. Malmö wurde Südschwedens finanzielles Zentrum. Von 5 000 Einwohnern im 18. Jh. stieg die Bevölkerung auf 13 000 im Jahr 1850. Anfang des 20. Jh. war die Zahl auf über 100 000 angewachsen. Malmö wurde nach Stockholm und Göteborg Schwedens drittgrößte Stadt. Kockums Schiffswerft war der Stolz der Stadt und während der 1970-er Jahre die größte Werft der Welt, nach Tonnage gerechnet.

Heute befindet sich Malmö in einer Phase des Umbruchs. Die Zeit der großen Industrien und der Werft ist vorbei. Statt dessen sind Kleinunternehmen, Handel und Dienstleistungen die wichtigsten Gewerbe geworden. 97 % aller Unternehmen haben weniger als 10 Angestellte. Man zählt 8800 Unternehmen, von denen 1 100 herstellende Unternehmen sind. 1 600 sind im Groß- und Detailhandel. Nun

mehr als notdürftig zu decken. Vielleicht kann diese Zusammenstellung von Jahreszahlen und Umständen trotzdem ein Bild von Malmö vermitteln, das von Dänen, den geschäftlichen Verbindungen der Hansezeit und von Schweden beherrscht war. Man kann feststellen, dass das Land, das Malmö beherrschte, Schonen beherrschte. Eigentümlich ist auch, dass Malmö eigentlich nie erobert und geplündert wurde. Dies zeigt, dass die Einwohner eine spezielle Stärke haben. Die Malmöer haben in den meisten Fällen das Schicksal und das Glück auf ihrer Seite gehabt.

Stadtrundwanderung

Es gibt einen strategischen Punkt in Malmö, ganz in der Nähe der Statue mit Carl X. Gustaf hoch zu Ross, der ein idealer Ausgangspunkt für einen Spaziergang in Malmö sein kann. Ein leichter Spaziergang kann gesagt werden. Hier wird der Wanderer nicht von Hügeln und Steigungen beschwert. Malmö ist eine platte Stadt, der Höhenunterschied soll 10 Meter sein. Lund kann mit stattlichen 90 Metern aufwarten. Es war dieser Marktplatz, den Carl von Linné auf 200 x 200 Schritte maß, und als einen der feinsten im Lande lobte. Gerade von diesem Punkt aus kann man einiges von kulturhistorischem Interesse sehen: Stortorget, Lilla Torg (der Kleine Marktplatz) und die Fußgängerzone, die zum Gustav Adolfs Torg führt. Sieht man in die andere Richtung zum Hafen hinaus, und streckt sich, kann man das Glitzern der Wellen des Öresunds sehen. Die Brücke dagegen sieht man nicht, die liegt ein Stück weiter südlich am Lernacken.

Am Stortorget ist die Architektur von Interesse. Hier und in den danebenliegenden Häuserblöcken gibt es eine Reihe gut erhaltener Gebäude aus dem Mittelalter zu studieren, u.a. die Kirche Sankt Peter, ein imponierendes Heiligtum, im gotischen Stil gebaut, die ihr 700-jähriges Jubiläum feiert und einen Teil ihrer Ausschmückungen und Kalkgemälde restauriert bekommt. Malmös Rathaus im Treppengiebelstil und mit Kellergewölbe, ist ein Produkt der 1860-er Jahre. Andere berühmte Gebäude, die den Markt umgeben, sind die Residenz des Regierungspräsidenten, das berühmte Hotel Kramer, die kompakten Geschäfts- und Bürohäuser, die Apotheke

setzt man darauf, Malmö zu einer Stadt des Wissenschaft zu machen, mit der neuen Hochschule als Speerspitze. Die Zukunftsaussichten sind positiv und dringen auf vielen Ebenen durch.

Die Bevölkerung Malmös ist heute eine andere als vor zwanzig, dreißig Jahren. Die einkommensstarken Familien sind in die umliegenden Orte gezogen und große Scharen ausländischer Bürger sind hereingekommen. Jetzt kommen auch Junge aus anderen Orten in Schweden nach Malmö, nicht zuletzt die Kinder derjenigen, die in den 70-er Jahren ausgezogen sind.

Arbeitslosigkeit, verminderte Steuerkraft und größere Kosten für Krankheits- und Sozialwesen und für Arbeitsbeschaffungsmaßnahmen hatten Malmö in eine schwere Situation mit großen Verluste im Haushalt gebracht. Die Ökonomie konnte jedoch repariert werden und Malmö konnte seinen Etat aufbauen. Es ist ganz klar, dass die Öresundsverbindung stark zum Optimismus in der Malmöregion beigetragen hat. Der alte Traum einer festen Verbindung, mit allem was sie an neuen Möglichkeiten mit sich führt, ist Wirklichkeit geworden. Jetzt wird ein neuer dänisch-schwedischer Markt für Handel, Wohnen und Arbeit, Kultur, Ausbildung und Forschung geschaffen. Die zusammengefügte Stadtregion Kopenhagen-Malmö-Lund mit über zwei Millionen Einwohnern wird die beste Infrastruktur Nordeuropas bekommen.

Über die oben genannte lückenhafte Geschichte und das „Geschehensmosaik" kann gesagt werden, dass es keinen Anspruch darauf erhebt, das Geschehen vergangener Zeiten und die spätere Entwicklung

Lejonet (der Löwe), mit ihrer imposanten Fassade und die Spalte, die zum Lilla Torg führt, mit seinen kulturellen und kulinarischen Lustbarkeiten.

Es fällt leicht, sich zum Kockska Huset locken zu lassen, in dem das Malmöprofil Jörgen Kock wohnte. Das Haus, in dem Kock wohnte, gehörte erst der Tochter von Margareta Stangi, Witwe eines Bürgers von Lund. Später wurde das Grundstück vom Sohn Peder Henricsson übernommen, aber bald schenkte er es dem Mariakloster in Sorö und wurde dort selbst Mönch. Danach vermietete es der Abt Hinrick dem Casper wan Cassel im Jahr 1479. 1522 kaufte Jörgen Kock es vom Abt. Das Haus ist im spätgothischen Stil gebaut und reich geschmückt. An der Ecke Väster- und Frans Suellgatan kann man die kleine Statue Marias mit dem Jesukinde im Arm sehen. Wer ein Fernglas hat, kann viele Details an der Fassade des Hauses ausmachen. Im Kellergewölbe ist ein Restaurant mit einer beeindruckenden Speisekarte, die den höchsten Ansprüchen genügt.

Mit einigen schnellen Schritten durch die Suellsgatan kommt man zu diesem selbst, der als Statue vor dem Dringenbergischen Hof steht, dessen Geschichte zurück in die älteste Zeit der Stadt geht. Im Keller sind Reste einer Kirche aus dem 13. Jh. Das Haus wurde ursprünglich für Henrik Dringenberg gebaut, der im 15.Jh. dänischer Münzmeister und Vogt in Malmö war.

Frans Suell blickt von seinem Sockel aus energisch und zufrieden auf den Öresund hinaus. Er lebte zwischen 1744 und 1817 und arbeitete als Geschäfts- und Industriemann und hatte großen Einfluss auf die Entwicklung der Stadt. Er war es, der dafür sorgte, dass Malmö einen modernen Hafen bekam. Ausserdem begann er mit Zucker- und Textilindustrie und hatte große Interessen in der Tabakindustrie. Suells Erfolge hinterließen tiefe Spuren im Handelsleben Malmös. Mit seinem Erbe baute sein Schwiegersohn Henrik Kockum Kockums Mekaniska Verkstad, die später eine Weltindustrie auf dem Werftsektor werden sollte.

An diese erfolgreiche industrielle Periode in Malmös Geschichte erinnert der 140 m hohe Kockumskran im Hafen, der über ganz Malmö sichtbar ist. Er wurde 1974 gebaut und hat lange auf sein weiteres Schicksal gewartet. Ein Angebot vom Herbst 1999 sagt, dass chinesische Käufer ihn abmontieren und in den Fernen Osten verschiffen wollen. Ganz klar ist jedoch, dass viele das riesige Hebewerk vermissen werden, wenn es eines Tags verschwindet. Es ist ein Symbol der Industrieepoche Malmös geworden.

Als Kronprinzessin Victoria im August 1999 auf der zusammengeketteten Öresundsbrücke freundlich ihren dänischen Kollegen, den Kronprinzen Frederik, umarmte, vollendete sie die königliche Tradition, den Hauptort Schonens zu besuchen. In Malmö gibt es nämlich viele Spuren der schwedischen Könige. Der Name Oscar II. kann auf einem Stein im Hafen besehen werden. In der Residenz ist das Todeszimmer von Carl XV. Eine angenehmere Erinnerung ist die silberne Gedenktafel im Haus „Bikupan". Im elektrischen Fahrstuhl ist folgender Text zu lesen:

Während der Dezembertage des Jahres 1914
Als hier auf Einladung Gustaf V.
Das Dreikönigstreffen in Malmö
abgehalten wurde
und Christian X. beim früheren Sprecher
des Reichstages Carl Herslow wohnte
Fuhren drei Könige des Nordens
Mit dem Fahrstuhl der Sparkasse
Bikupan (Bienenkorb).

So versichert man sich, dass das Andenken an große Ereignisse bewahrt bleibt. Eine Fahrstuhlfahrt mit drei Königen bekommt ihre eigene Silbertafel. Das erinnerungswürdige Treffen wurde am 18. und 19. Dezember 1914 mit den Königen Håkon VII. von Norwegen, Kristian X. von Dänemark, Gustaf V. von Schweden und den drei Außenministern abgehalten. Das Treffens dessen Zweck es war, den Neutralitätswillen der nordischen Länder während des 1. Weltkrieges zu manifestieren, bekam viel Publizität in der Presse. Besonders gut informiert war Sydsvenska Dagbladet durch Dr. Carl Herslow, der sich in seiner Wohnung um Kristian X. von Dänemark bemühte. Herslow war ein einflussreicher Mann in Malmö, der viele Eisen im Feuer hatte. Er war Sprecher des Reichstages, Kommunalpolitiker, ein guter Ökonom, Publizist und Gründer der Zeitung Sydsvenskan nach Zusammenlegen mit der Chronholmschen Snällposten. Er war bis in seine letzten Lebensjahre tätig und starb 1933 96-jährig. Schwedens jetziger König Carl XVI. Gustaf und Königin Silvia sind auch in Malmö zu Besuch gewesen, z.B. beim großen Ball des Amarantherordens 1977. Der damalige Landeshauptmann Nils Hörjel bekam den galanten Auftrag des ersten Tanzes mit der Königin Silvia im festlich geschmückten Knutssaal. Bei diesem Besuch wurde das Königspaar auch Ehrenbrandmeister bei Malmös Feuerwehr, eine Tradition, die normalerweise Weltstars und anderen hohen Persönlichkeiten widerfährt.

Wenn wir Malmös Altstadt innerhalb der Kanäle für einige Augenblicke verlassen und auf Malmöhus und die Wallgräben blicken, nähern wir uns einem sehr wichtigen Teil der Stadt und ihrer Geschichte. Malmöhus ist das älteste bewahrte Renaissanceschloss des Nordens. Hier wohnten die Könige während ihrer Besuche. Auch als Verteidigungsanlage und berüchtigtes Gefängnis fand es Verwendung. Eine Schlüsselrolle hatte in diesem Zusammenhang Erik von Pommern, der schon im 15. Jh. das baute, was sich später zur großen Burg entwickeln sollte. Es gibt noch immer Reste der Burg, die Erik bauen ließ. Ein anderer Malmöer, der hier Hof hielt, war Jörgen Kock und er lud Gustav Vasa in seine Wohnung ein, als der 1514 Malmö besuchte.

Ein dramatischer Abschnitt in der Geschichte ist es, als Kristian II. nach seiner Absetzung den Thron zurückerobern wollte. Seine Sache wurde von den Bürgern und Bauern gestützt, während der Adel Fredrik I. favorisierte. Letzterer starb 1533 und der Streit um den Thron wurde immer heftiger und blutiger. Nun mischte sich Kristian III. ins Spiel, bekam jedoch die Anhänger Kristian II. gegen sich. Jörgen Kock, der immer wusste woher der Wind weht, stellte dem Festungskommandanten Magnus Gyllenstierna eine Falle. Er lud ihn – man darf vermuten unter falschen Vorspiegelungen – zu sich ein, und schloss sein Opfer ganz einfach ein. Dann war es freie Fahrt für die Bürger die Festung abzureißen. Nach den Verwicklungen wurde Kristian König, und als erste Handlung ließ er ein beeindruckendes Malmöhus mit Wallgräben und Befestigungen bauen.

Material wurde u.a. von abgerissenen Kirchen und von wohlwollenden Lieferanten in Dänemark geholt.

Die Glanzperiode für Malmöhus war ziemlich kurz, nur vier Jahre, und fiel in die Zeit von 1554 bis 1558, als der alte Fredrik II. hier wohnte.

Eine Zeitlang wurde die Burg als gefürchtetes Gefängnis verwendet. Maria Stuarts dritter Mann, der abenteuerlustige Schotte James Hepburn, 4. Earl of Bothwell, saß hier von 1568 bis 1573, bevor er nach Dragsholm auf Seeland gebracht wurde. Als Schonen schwedisch wurde, verschob sich der Schwerpunkt mehr auf Landskrona und die Bedeutung von Malmöhus verlor an Gewicht. Das Jahr 1677 sollte man sich jedoch merken. Die Festung verhinderte da, dass die dänische Armee Malmö eroberte.

Im Jahr 1870 brannte es in den Gebäuden und damals saßen dort fast 800 Gefangene hinter Schloss und Riegel. Wie viele dort im Laufe der Zeit gelitten haben und gestorben sind, weiß wohl niemand.

Heute ist Malmöhus ein sehr imponierendes Museum, mit den vielleicht feinsten Sammlungen von Kunst und Kunsthandwerk, Stadtgeschichte, Archäologie und Naturgeschichte. Hier kann man die Geschichte der Stadt Malmö und von Schonen studieren, und das Mittelalter, das durch Geräte, Waffen, Hausrat und archäologische Ausgrabungen präsent ist. Auf der Etage der Könige werden in den Sälen Möbel und Gemälde aus der großen Zeit des Schlosses gezeigt. Im sog. Skovgaardssaal steht die älteste noch spielbare Orgel der Welt, im 15. Jh. gebaut. Das Kunstmuseum beherbergt eine der größten Kunstsammlungen des 20. Jh. mit Werken von u.a. Carl Fredrik Hill, Carl Reuterswärd, Max Walter Svanberg, Torsten Andersson und Gunnar Norrman. Ein phantastisches Portrait des Künstlers Alexander Roslin aus dem 18. Jh. gehört auch zu den Sammlungen.

Roslin, der das bekannte Werk *Dame mit Schleier* gemalt hat, ist übrigens in Malmö, Hamngatan 4, geboren. Damit sind wir zurück in der Stadt zwischen den Kanälen. In einem Haus, das einem Palast gleicht, finden wir das ahnenreiche Hotel Savoy, das von Frans Ekelund im Wiener Jugendstil entworfen wurde. Hier haben Generationen Malmöer und Besucher die üppigen Gaben der schonischen Tafel genossen.

Hinter dem Rathaus liegt das Kompaniehaus von ca. 1520, das ursprünglich die dänische Handelskompanie beherbergte. Als der Stortorget nicht mehr für den wachsenden Handel ausreichte, baute man den Lilla Torg (Kleinen Markt). Hier kann man sich den Faxenska Gården (Hof) und das Ekströmska Huset (Haus) näher besehen. Hedmanska Gården ist ein altes Handelshaus mit einer Bauprobe aus dem 16. Jh. Heute kann man modernes Industriedesign und Kunsthandwerk im Haus besehen. Eine andere

Sehenswürdigkeit ist das Viertel Sankt Gertrud, welches glücklicherweise der Abrißwelle der 60er Jahre entging. Hier besteht eine Sammlung von Häusern vom 16. bis zum 19. Jh. – gepriesen für gute Restaurationsarbeit. Thottska Huset, mit Baujahr 1558, ist Malmös ältestes Fachwerkhaus.

Die Gegend um den Hauptbahnhof ist ein natürlicher Ausgangspunkt für den Reisenden. Der Bahnhof selbst wurde 1890 von Adolf Wilhelm Edelsvärd erbaut. Im Unterschied zu anderen Großstädten ist der Hauptbahnhof von Malmö eine säuberliche Anhäufung von Informationsstellen, Fremdenverkehrsvereinen, Wechselstuben und Imbisstellen. Hier kann man auch Karten für Theatervorstellungen und Veranstaltungen in Malmö, Lund und Kopenhagen kaufen. Hinter dem Bahnhof sieht man die große Post von 1906, die Ferdinand Broberg entworfen hat – hier feiert die Nationalromantik einen großen Triumph. Gehen wir weiter, kommen wir zum Malmö Slagthus (Schlachthaus), heute überhaupt nicht mehr so blutig, wie nach seinem Bau um die Jahrhundertwende. Statt dessen ist daraus ein Vergnügungszentrum mit Theater, Disco und Restaurants geworden. Zu den Vorzügen der Lage gehören die Parkplätze, die sonst von den Fährreisenden nach Kopenhagen ausgenutzt werden.

Eine Kulturstadt

Die Kultur hat einen ganz besonderen Platz in Malmö. Die geistige Speise ist reichhältig und kann sich auch international messen. Die Spannweite ist groß. Hier gibt es Musiktheater, Theater, Konzerthaus mit Malmös berühmtem Sinfonieorchester, das jährlich mehrere Premieren hat und für den Grammophone Award für CD-aufnahmen nominiert worden ist. Das Angebot der Kunsthallen der Stadt erreicht oft das Äußerste, um nicht zu sagen Weltklasse. Storan (das große Theater) bietet Opern, Musiktheater und Tanz auf einer der größten Bühnen Europas an. Zur Sommerszeit unternimmt man gewagte Schritte, 1999 wurde der „Bajazzo" in der Pizzeria außerhalb des Theaters mit geglücktem Resultat aufgeführt. Damit die Vorstellung nicht gestört werden sollte, wurden die umliegenden Straßen abgesperrt, eine Maßnahme die vielleicht zeigt, wel-

che Einstellung man auch von Seiten der Stadt zum Kulturangebot hat.

1999 war es 100 Jahre her, seit das Hippodrom in der Kalendegatan geöffnet wurde. Das Etablissement hatte, nach dem Geschmack der Zeit, die Form wie ein Zirkus. Im Laufe des Jahrhunderts ist dort allerhand passiert. Zirkus, Varietévorstellungen, Theater, Kirche und nun wieder Theater. Es ist Malmös Dramatisches Theater, das zur Freude des Malmö-Publikums neue Visionen im alten Gebäude übernimmt.

Nach gewissen Umbauqualen hat Malmö eine Großbibliothek im Schlosspark bekommen, mit der man sich brüsten kann. Sie wurde vom bekannten dänischen Architekten Henning Larsen entworfen und ist eine der größten Europas, angepasst für 1,5 Millionen Lesehungrige pro Jahr. Hier feiert die Informationstechnologie große Triumphe und was nicht auf gedruckten Seiten in Büchern oder Zeitschriften angeboten wird, findet man über Internet und Computerkartei. 700 000 Bücher füllen die Regale, 1 700 Zeitschriften, 1 500 Videoleihfilme und 12 000 Musik-CDs.

Malmö Kunsthalle und das Rooseum haben zusammen mit Malmö Kunstmuseum die Stadt auf die internationale Kunstkarte gebracht. Hier werden zeitgenössische Kunst und moderne Klassiker auf großzügigen Boden- und Wandflächen gezeigt.

Die Kunsthalle, die 1975 eingeweiht wurde, feiert ihr 25-jähriges Jubiläum mit einer Jubiläumsausstellung, die größte Europas, gezeichnet vom Architekten Klas Anselm aus Lund. Der große, lange Saal hat 2 700 qm Ausstellungsfläche mit einer raffinierten Deckenbeleuchtung, die aus schräggestellten ver-

glasten Reflektoren besteht. Die Halle wurde mit Edvard Munchs Malerei eingeweiht und seitdem sind ihr eine Reihe von Weltnamen, wie van Gogh, Hill und Kandinski gefolgt, um nur einige zu nennen. In der letzten Saison wurden Teile der Schylsken Donation gezeigt und ein zweiter Teil dieser gediegenen Sammlung wird folgen. In der Halle gibt es einen Hörsaal mit 120 Plätzen, einen Museumsshop und ein Café.

Das Rooseum wurde 1988 vom schwedischen Kunstsammler und Finanzmann Fredrik Roos (1951 –1991) gegründet. Seit Roos´ Tod wird das Museum von einer Stiftung betrieben, die aus der Stadt Malmö, Lill und Axel Roos und Louisiana in Dänemark besteht. Viele sind der Ansicht, dass das Rooseum die schönsten Ausstellungsräume Europas hat. Das Gebäude wurde 1900 gebaut, um die Dampfturbinen des Malmöer Elektrizitätswerkes zu beherbergen, und wurde später umgebaut. Es hat eine Gesamtausstellungsfläche von 1 500 qm, auf drei Galerien verteilt, mit der großen Turbinenhalle im Zentrum. Hier trifft man in durchgearbeiteten Ausstellungen die zentrale Künstlerschaft in der zeitgenössischen internationalen Kunst. Große rückblickende Ausstellungen „mitten in der Karriere", für Kunstausübende die das Kunstleben in Schweden beeinflussen, sind auch die Ambitionen vom Rooseum. Das Rooseum ist ganz gewiss auch das „stärkste" Kunstmuseum der Welt. In der Halle ist noch der Kran vorhanden, der selbst die größten Kunstgegenstände und Skulpturen von vielen Tonnen heben kann!

Für die große Gruppe Menschen, die Film und Filmvorstellungen liebt, kann es von Bedeutung sein, dass die erste Filmvorstellung in Schweden gerade in Malmö stattgefunden hat. Es war am 28. Juni 1896 (eine Pressevorstellung am Abend vorher zählen wir nicht mit). Am selben Tag fand auch eine andere Großvorstellung in Malmö statt. Der Kronprinz Gustaf weihte die Ritterstatue Karl X. Gustav, von Börjeson auf dem Stortorget ein. Das Gedränge war genau so groß, wie heutzutage auf dem Malmöfestival an dem Abend, an dem die Krebse gegessen werden. Man kann deshalb meinen, nicht allzuviele Leute wären zur Kinovorstellung gekommen, doch das waren sie.

Der Journalist Bertil Widerberg, der mit seinen eindringlichen Reportagen verschiedener Art viele Leser der Zeitung „Sydsvenskan" beglückte, hat diese Filmpremiere in einem interessanten Malmö-Buch von 1964 beschrieben. Das Kino lag im Gebiet der Nordischen Industrie- und Handwerksausstellung und war speziell für diese Veranstaltung gebaut worden. Wer den Film nach Schweden brachte, war ein Herr mit Namen Axel Prior, der das „Koncertpalaet" in Kopenhagen repräsentierte. Der erste Film war kein Spielfilm, wie heutzutage, eher eine Wochenschau mit Ausschnitten vom Straßenleben in Paris. Den größten Effekt hatte eine Szene aus dem Bois du Boulogne mit seinen radfahrenden Damen und Herren, „die mit größter Naturtreue auf den Zuschauer zugefahren kamen", schrieb Sydsvenskan in ihrer ersten Filmkritik. „Es fehlte nur das Murmeln der Menschen, um das Bild illusorisch zu machen."

Schon da ahnte der Kritiker den Tonfilm. Die Filmvorstellung auf der Ausstellung lief drei Monate und war ein riesiger Erfolg. Widerberg hat ausgerechnet, dass die Vorstellungen an 92 Spieltagen mit 16 Vorstellungen 75 000 Besucher angelockt hatte, und das war vielleicht noch zu niedrig gerechnet. Das Lokal, in dem der Film gezeigt wurde, wurde nach der Ausstellung an einen Hof in Arrie verkauft, wo es, allen Schmucks beraubt, zur Scheune verkam. Eine Sache, an die Filmliebhaber denken können, wenn sie heute Farbfilme in Salons mit Supersound geniessen.

Das Kulturangebot lockt jährlich nahezu eine Million Besucher nach Malmö. Zählt man außerdem die kleinen Bühnen, wie freie Theater, Kinos, Musikveranstaltungen und Ausstellungen, kommt man leicht auf über eine Million.

Malmös grüne Lungen

Man braucht nicht lange in Malmö zu sein, um die herrlichen Grünanlagen zu entdecken, die sich ganz in der Nähe des Stadtkerns anbieten. Der Kungsparken (Königspark), Slottsparken (Schlosspark), und der Pildamsparken (Weidenteichpark) gehören zu den schönsten, die im Lande angelegt wurden. Hier wird die herrlichste Umwelt angeboten, die man sich denken kann, wenn man spazieren, joggen, radfahren oder das Leben auf einer Decke geniessen will. Die klassizistische Formgebung des Pildammsparks macht diesen einmalig unter den Parks in Nordeuropa. Auf der Blumenstrasse der Kronprinzessin Margareta werden jährlich an die zehntausend Blumen gepflanzt. Hier hat Königin Silvia einen Rosengarten, der zu ihrem Geburtstag 1995 eingeweiht wurde. Seien Sie nicht erstaunt, wenn Sie im Chor der Vögel eine Nachtigall hören, sie gehört zum Bild. Wer Vögel studieren möchte, hat dazu reichlich Gelegenheit. Hier gibt es die meisten Arten aus dem Vogelbuch, vom Schwan bis zur Bachstelze, aber auch exotische Vögel in Gehegen. Es gibt viele Anziehungspunkte. Auf der Freilichtbühne steht von Ende Juni bis Mitte August fast jeden Abend etwas auf dem Programm. Hier tritt gewöhnlich der Malmösohn Jan Malmsjö vor einem Publikum von Tausenden auf. Der Garten der Sinne, das Baltische Tor, der Margaretapavillon und der Granitbrunnen von der Baltischen Ausstellung sind andere Sehenswürdigkeiten. Sobald man auf die Baltische Ausstellung zu sprechen kommt, bekommen viele Mamöer etwas Stolzes in den Blick. Es war die schönste und imposanteste Ausstellung, die (1914) in der Stadt gezeigt wurde.

Im Pildammspark verzaubert eine strahlende Fontäne das Auge. Schimmernde Kaskaden werden in die Luft geschleudert und befindet man sich auf der richtigen Seite, kann man einen kleinen Regenbogen über dem Wasserspiegel sehen.

Dem generösen Grün kann man ganz nahe kommen. Es gibt Ausflugsboote, die still auf dem Stadtkanal, unter 18 Brücken dahingleiten. Während der Stunde, die die Tour dauert, kann man ein richtiges „nah-an-der-Stadt-Erlebnis" der besten Art haben. Aber halten Sie den Hut fest, besonders bei Hochwasser. Man hat selten mehr als ein paar Zentimeter zugute, wenn man einige der Brücken passiert. Ein schöner Anziehungspunkt ist Flotten (das Floß), das außer der Boottour auch ein musikalisches Programm bietet, nicht selten mit einem Troubadour oder anderer lebender Musik. Ein anderes beliebtes Vergnügen ist es, mit dem Tretboot im eigenen Takt im Kanalsystem herumzutrampeln.

Wer Wert auf größere Aussicht legt, kann dies im Öresundspark oder im Scaniapark haben. Der Sonnenuntergang über den Wellen des Öresund ist eine Attraktion. An jedem schönen Abend stehen Menschen am Strand und genießen die Abendbrise. Ein Teil dieser beliebten Grünflächen in der Nähe des Sundes soll jedoch bebaut werden. Malmö wächst kräftig und neue Stadtteile entstehen. Dagegen kann man sagen, dass die Mieter am Scaniapark, die Aussicht auf Meer und Wellen haben, die attraktivsten Wohnungen des Landes besitzen werden.

Nicht umsonst wird Malmö die Stadt der Parks genannt. Raoul Wallenberg hat einen eigenen Gedenkplatz mit der Marmorskulptur „Pienza" von Staffan Nihlén. Der Bejerspark ist Malmös Agenda 21-Park mit einer Menge Ideen und deren Umsetzung. Auf der Ön (Insel) in Limhamn ist der Öparken ein Anziehungspunkt für Sportangler und Bummler.

Der Bulltoftapark ist ein großes Naturgebiet auf dem alten Flugplatz, mit reicher Fauna und Flora, ein Eldorado für Bewegungssüchtige. Das Schloss Torup, Toftanäs, Bunkeflo Strandwiesen – die Liste von allem, was zum Nutzen der Bewohner von Malmö weise angelegt und bewahrt wurde, könnte lang gemacht werden. Eine Attraktion, die zeitweilig vergessen wird, ist ein lokaler „Grand Canyon" – der Kalksteinbruch in Limhamn. Ein heute stillgelegter Tagebau, 60 m tief und so groß wie 800 Fußballplätze. Hier gibt es große Baupläne.

Wenn wir Fußballplätze erwähnen, so ist es auch mit diesen in Malmö gut bestellt. Malmös Stadion kann 32 000 Enthusiasten aufnehmen, die gerne den MFF anfeuern, den Stolz Malmös. 1999 wurde die alte Arena Malmö Idrottsplatz nach Umbau neu eingeweiht. Hier ist Platz für 7 800 Zuschauer. Jägersro ist die Hochburg des Pferdesports. Trab und Galopp ziehen viel Publikum zum „Hugo Åbergs Memorial" an, der Großveranstaltung des Galopps. Auch Golfspieler haben reichlich Gelegenheit ihren Sport in der Reichweite von Schonen auszuüben. Der Katalog von „Malmö Fritiden" enthält nicht weniger als 800 verschiedene Vereine, die meisten haben mit Sport zu tun. Es kann hinzugefügt werden, dass

Schwedens schönstes Sportmuseum im Erik Perssonväg mit Wissensbank und Bibliothek vom Sport der Antike, bis zum lokalen Sport in Malmö und Schonen alles beleuchtet.

Malmö in der Zukunft

Das Jahr 2000 – das erste Jahr des neuen Jahrtausends wird ein Jahr, dass man sich merken wird.

Die Öresundbrücke spannt jetzt ihr gewaltiges Band über das glitzernde Wasser, dass so lange Schweden von Dänemark ferngehalten hat. Mit dieser festen Verbindung ist ein Jahrhunderte alter Traum in Erfüllung gegangen. Die Städte Malmö-Lund-Kopenhagen mit über 2 Millionen Menschen schmelzen ökonomisch und kulturell zusammen. Dies wird den dänisch-schwedischen Markt für Handel, Wohnen, Arbeit, Kultur, Ausbildung und Forschung beeinflussen. In der Nähe des Anschlussweges zur Öresundbrücke ist ein ganz neuer Stadtteil geplant: Scanstad. In ihm werden verschiedene Häusertypen integriert und der Häuserbestand ist das erste, was der Reisende nach der Brückenpassage sieht. Besonders spannend wird die Besiedlung rund um den großen Steinbruch, der eine willkommene Herausforderung für Architekten und Bauherren geworden ist.

All das Neue in Malmö wird mit dem geplanten Citytunnel verbunden, einem gigantischen Projekt, das sich vom Hauptbahnhof zum Lernacken am Brückenlager erstreckt. Der Bahnhof in der Innenstadt wird von der Petribrücke, Slakthuset, Hjälmarekajen und der neuen Hochschule aus erreicht. Ein unterirdischer Bahnhof wird zentral am Triangeln gebaut, in der Nähe von Einkaufszentren, der Kunsthalle und der Uni-Klinik MAS, Malmös größtem Arbeitsplatz.

Die Wirtschaft erlebt eine neue Ära; alte Industrien verschwinden oder werden in wissensreiche Firmen mit Computeranlagen verwandelt. Schwedens Mitgliedschaft in der EU und die Entwicklung in Osteuropa gibt der Wirtschaft große Möglichkeiten sich in Zukunft zu entwickeln. Die höhere Ausbildung hat sich fest auf der Universitätsinsel etabliert. Die Zahl der Studenten wird bald 15 000 betragen, vielleicht noch mehr. Der Bauboom, den die Malmögegend erlebt, gibt der ganzen Region Aufschwung.

Mit der Öresundbrücke hat Malmö ein neues Symbol und Profil bekommen. Der alte Kockumskran, der lange das Wahrzeichen der Stadt war, wird vielleicht verschwinden. Statt dessen sind es die 203,5 m hohen Pfeiler der neuen Brücke, welche die Aufmerksamkeit wecken. Wird außerdem der neue Hotel-, Konferenz- und Wohnturm Skandinavien Tower in Hyllie Wirklichkeit, hat Malmö Anziehungspunkte ganz neuer Art. Mit einer Totalhöhe von 325 m wird er über ein sehr großes Gebiet sichtbar sein.

Nach Jahren der Stagnation, Abrisswut und Unentschlossenheit in einer Reihe von Bauvorhaben, kann sich Malmö auf eine neue Zeit mit wachsendem Optimismus und Fortschrittsgeist freuen. Das neue einfache Leben bekommt seine Chance und noch immer gilt: dass der, der Malmö gesehen hat, die Welt gesehen hat- und einen lustigen und erlebnisreichen Besuch in einer der schönsten und dynamischsten Städte Schwedens gehabt hat.

Einige Daten über Malmö

Fläche: 154 qkm
Höchstes Bauwerk: Die Pylonen (Pfeiler) der Hochbrücke über den Öresund 203,5 m. ü. M.
Einwohnerzahl 1. Jan. 1999: 254 904
Bevölkerungsdichte/qkm: 1 633
Stadtteile: Fosie, Centrum, Hyllie, Limhamn-Bunkeflo, Südliche Innenstadt, Westliche Innenstadt, Rosengård, Husie, Kirseberg, Oxie. Die größte Einwohnerzahl hat Centrum mit 33 798 Pers. Am kleinsten ist Oxie mit 10 636 Pers. Im Centrum arbeiten 44 000 Personen.
Malmöer mit ausländischer Herkunft:
Im Ausland geborene: 54 100. Anteil an der Bevölkerung: 22%.
In Schweden geborene mit ausl. Herkunft. (2. Generation): 30 147. Anteil an der Bevölkerung: 12%.
Beide Eltern im Ausland geboren: 14 800.
Ein Elternteil im Ausland und eins in Schweden geboren: 15 347.
Arbeitsplätze 1996: 119 170
Malmös größte Arbeitgeber 1997: Stadt Malmö 23 300, Posten Sverige AB 2 300, Skanska Bygg AB 1 950, Statens Järnvägar (Eisenbahn) 1 750, Sydkraft AB 1 700, Reichspolizeiverwaltung 1 300, Telia AB

1 300, Sydsvenska Dagbladet AB: 1 100, Arbeitsamt 1 000, Samhall Syd 1 000,
Passagiere auf dem Flughafen Sturup 1997: 1 612 855.
Zeitungen in Malmö: Sydsvenska Dagbladet, Arbetet Nyheterna, Skånska Dagbladet, Kvällsposten.
Besucher der Öresundausstellung Febr.–Dez. 1998: 186 327
Bes. der Stadtbibliothek 1997: 2 194 554
Bes. der Malmö Kunsthalle 1997: 176 000
Bes. des Museums Rooseum 1997: 20 427
Bes. der Museen Malmö 1997: 209 806
Publikum Malmö Musiktheater 97–98: 169 344
Publikum Malmö Dramatisches Theater: 29 476
Publikum Skånes Tanztheater: 13 923
Publ. Malmös Sinfonieorchesters Konzerte 97–98: 82 090

Die Öresundbrücke:
Die feste Verbindung mit Eisenbahn und Autobahn über den Öresund erstreckt sich knapp 16 km zwischen dem Lernacken an der schwedischen Küste und Kastrup auf der dänischen Seite. Die Verbindung besteht aus:
- Einer künstlichen Halbinsel, die sich 430 m von Kastrup an der dänischen Küste erstreckt.
- Einem 4 050 m langen Tunnel von der Halbinsel zu der 4 055 m langen künstlichen Insel Pepparholm.
- Einer Hochbrücke von 1 092 m, mit einem freien Spann von ca. 490 m und einer passierbaren Höhe von 57 m.
- Zufahrtsbrücken westlich und östlich der Hochbrücke. Die östliche Zufahrtsbrücke, von der schwedischen Küste aus, ist 3 759 m lang und die westliche 3 014 m.

Auf schwedischer Seite wird der Verkehr von und zur Brücke über den äußeren Ringweg geleitet, der von Petersborg bis Kronetorp eine Länge von 16 km hat. Insgesamt 39 Kleeblätter erleichtern es den Verkehrsteilnehmern.

Der Citytunnel
Gesamtlänge vom Hauptbahnhof Malmö (Malmö Central) zum Lernacken 12 km. Gesamtlänge unter der Erde, einschließlich Bahnhöfen 6,2 km. Zugverkehr an Wochentagen 300 Züge (Totalanzahl in beiden Richtungen) in den Jahren 2005–2010. Ein- und Aussteigende/Tag am Hauptbahnhof berechnet auf 35 000, am Triangeln 25 000 und in Hyllie 5 500.

@ Text och foto
Bobby Andström 2000
Engelsk översättning: William Plumridge
Tysk översättning: Horst Kiebler
Karta: Malmö Stadsbyggnadskontor
Repro: Repro 8 AB, Nacka
Formgivning, sättning och produktion:
Anders Rahm Bokproduktion
Tryckt och bunden i Ungern
2000

ISBN 91-46-17482-6